P9-DNZ-453

COLLECTION FOLIO

Blaise Cendrars

L'or

La merveilleuse histoire
du général
Johann August Suter

Préface inédite de Francis Lacassin

Denoël

A MADAME WŒHRINGEN

Hambourgeoise
armateur, exploratrice, lettrée
curieuse d'aventures et d'aventuriers
EN SOUVENIR
de quelques bonnes soirées
d'Avant-Guerre
en sa FOLIE de Sceaux

B. C

SAN FRANCISCO
C'EST LÀ QUE TU LISAIS L'HISTOIRE DU GÉNÉRAL SUTER QUI
A CONQUIS LA CALIFORNIE AUX ÉTATS-UNIS
ET QUI, MILLIARDAIRE, A ÉTÉ RUINÉ PAR LA DÉCOUVERTE DE
MINES D'OR SUR SES TERRES
TU AS LONGTEMPS CHASSÉ DANS LA VALLÉE DU SACRAMENTO
OÙ J'AI TRAVAILLÉ AU DÉFRICHEMENT DU SOL.

Blaise Cendrars : *Le Panama*
ou les Aventures de mes sept Oncles; 1914.

UNE AUTRE HISTOIRE EST CELLE DES 900 MILLIONS CITÉE
DANS « LE PANAMA » AINSI QUE L'HISTOIRE DU GÉNÉRAL
SUTER QUE J'ÉCRIRAI UN JOUR OU QUE JE REPRENDRAI
ICI, PLUS TARD, SI JE NE LA PUBLIE PAS AUPARAVANT.

Blaise Cendrars : *Pro Domo; 1918.*

Préface

L'AVENTURIER TUÉ PAR SON RÊVE

« Écoutez ! C'est un roman et c'est un film. C'est un film et c'est de l'Histoire. C'est la plus belle histoire du monde. C'est une histoire vraie... C'est l'histoire de la découverte de l'or en Californie. [...]

« Je vous parle de l'homme qui a déclenché le rush de 1848, 49, 50, 51, de l'homme le plus riche du monde, l'homme qui a découvert l'or californien, de l'homme qui avait l'horreur de l'or ! [...]

« Mon histoire est l'histoire du PREMIER MILLIARDAIRE AMÉRICAIN QUI A ÉTÉ RUINÉ PAR LA DÉCOUVERTE DE L'OR SUR SES TERRES et que l'or a rendu fou.

« LE GÉNÉRAL SUTTER[1]. »

C'est en ces termes, sur le ton fébrile des conteurs orientaux et avec la couleur flamboyante des enseignes au néon, que Cendrars adresse en 1927 aux libraires américains une proclamation intitulée :

1. Document inédit (Fonds Cendrars, Archives de Berne), cité par Claude Leroy, *L'or*, Gallimard, « Foliothèque », n° 13.

Qui veut de l'or? Pour les inciter à vendre *Sutter's Gold*, la traduction du roman publié en 1925 par Grasset : *L'or, la merveilleuse histoire du général Johann August Suter*[1].

Rejeton malchanceux d'une famille de papetiers, ce Suisse germanophone, alors âgé de trente et un ans, débarquait à New York en juillet 1834. Voyage ou fuite? Il laissait sans remords derrière lui, avec quelques dettes et péchés de jeunesse, une femme et trois enfants. Ils resteront sans nouvelles de lui pendant quatorze ans. Le temps d'un long périple qui, du Missouri, de l'Alaska russe et des îles Hawaii, avait conduit Sutter dans une contrée désertique clairsemée de Mexicains et d'Indiens. Il y établira une verte et prospère « Nouvelle Helvétie », base avancée de ce qui deviendra, grâce à ses intrigues politiques et à ses campagnes de publicité mensongère, la Californie, arrachée à la domination espagnole pour devenir le trente et unième État de l'Union.

L'or ruina ce riche et respectable propriétaire... et apporta à Cendrars la célébrité. Jusqu'ici, il était connu comme poète par les quelques centaines de lecteurs de cinq plaquettes parues entre 1912 et 1924 (*Pâques à New York*, la *Prose du Transsibérien et de la petite Jehanne de France, Le Panama ou les aventures de mes sept oncles, Kodak-Documentaires, Feuilles de route*).

1. Cendrars écrit le nom de Suter avec un seul *t*. Les Américains, et le général lui-même, orthographient son nom avec deux *t*. On respectera ci-après ces deux graphies différentes.

En Bernard Grasset, Cendrars vient de trouver un éditeur prestigieux, réputé pour ses « coups » publicitaires et ses gros tirages. Grâce à lui, le poète du cœur du monde devient le romancier du monde entier. Chez Grasset, rue des Saint-Pères, *L'or* fait l'effet d'un livre-champignon. On ne l'attendait pas. On espérait *Moravagine* : Cendrars en remettra le manuscrit seulement un an plus tard. C'est pour calmer l'impatience de son éditeur — et lui arracher une nouvelle avance — qu'en janvier 1925, Cendrars lui livre *L'or*[1].

Il l'a écrit en quarante jours, du 22 novembre au 31 décembre 1924, près de Montfort-l'Amaury, au Tremblay-sur-Mauldre. (Dans une « bicoque » appartenant à Raymone et à son frère : il en fera sa tour d'ivoire jusqu'en 1939.) Une rapidité d'exécution trompeuse, chaque livre de Cendrars étant précédé d'une longue maturation. Pour reprendre le mot d'Alfred de Vigny, *L'or* est la réalisation dans l'âge mûr d'un rêve de jeunesse, et même d'enfance, entretenu depuis trente ans.

Selon le frère du futur Cendrars, Georges Sauser-Hall, tous deux ont découvert l'existence de Suter pendant des vacances à La Chaux-de-Fonds. Dans les toilettes de l'Hôtel de la Balance, tenu par un frère de leur mère... « Une collection du *Messager boiteux* servait de papier hygiénique, et c'est dans cet almanach que nous avons lu, mon frère et moi, les fabuleuses aventures arrivées au conquérant de la Cali-

1. *Moravagine. Pro Domo*, 1956.

fornie que, le soir, interminablement, nous continuions d'évoquer et de commenter[1]. »

À peu près à la même époque (1895-1898), Blaise a pour condisciple au lycée de Bâle un certain August Suter (1887-1965). Impressionné par le nom, il se plaira à voir en lui un petit-fils, puis un petit-neveu de son héros. Peut-être pour accréditer ce pedigree, Cendrars orthographiera le nom du général avec un seul *t* au lieu de deux. Les deux anciens élèves du Gymnasium de Bâle se retouveront en 1911 à Paris, où August est sculpteur et élève de Rodin. En août 1912, l'artiste, probablement harcelé par Cendrars, profite d'un séjour à Bâle pour lui envoyer l'unique document relatant la vie du roi découronné de Californie. Une brochure de 48 pages, éditée à Bâle en 1907 : *Gén. Joh. Aug. Suter*, par Martin Birmann. Elle recueillait un feuilleton paru dans la presse germanophone en 1868, augmenté de quelques lignes sur les dernières années du général. Sa lecture déchaîne l'enthousiasme de Cendrars. « J'ai lu avec le plus grand intérêt le petit livre. Quel grand destin a été celui de votre grand-père ! Un homme ruiné par la découverte de l'Or ! Magnifique ! Magnifique[2] ! »

Dès lors, ce « grand destin magnifique » hantera régulièrement Blaise Cendrars. En 1914, au moment où il rédige *Le Panama ou les aventures de mes sept oncles*, il interpelle l'un d'entre eux :

1. Cité par Hugues Richard, « Cendrars et le fabuleux général Suter », *Europe*, n° 556, juin 1976.

2. *Inédits secrets*, recueillis par Miriam Cendrars.

San Francisco
C'est là que tu lisais l'histoire du général Suter
qui a conquis la Californie aux États-Unis
Et qui, milliardaire, a été ruiné par la découverte
des mines d'or sur ses terres.

En 1915, entre deux éclats d'obus, le fantôme de celui que les Américains nommèrent général honoraire vient visiter le caporal Cendrars dans la boue sanglante des tranchées. Trois semaines avant de perdre le bras droit, le 5 septembre 1915, il rêve à voix haute dans une lettre destinée à August Suter, réfugié à Bâle. « C'est vieux, vieux-guerre, canons, Féla, sang, batailles, mines, mon fils, mes livres, les morts — je suis plus seul et plus détaché que jamais. Il n'y a plus que des choses comme les aventures du général Suter qui m'intéressent encore, et non pas sa vie, mais les sursauts intimes de sa conscience. J'y pense souvent. »

La rêverie semble prendre la forme d'un projet de livre, dans une nouvelle lettre au sculpteur Suter, le 28 avril 1916. « Tout va bien, je travaille. Pourriez-vous m'envoyer ce qui a été publié en Suisse, sur le général Suter, votre grand-oncle ? Possédez-vous des papiers le concernant et y a-t-il quelque chose d'inédit à la Bibliothèque de Bâle ? Si oui, je viendrai y passer quelques jours. »

Une réponse négative sur tous les points détournera Cendrars vers un autre personnage exceptionnel, Moravagine, dont le destin dépend de sa seule imagination. Mais le fantôme de Suter continue de s'accrocher au mortel dont il espère une survie posthume. Vers 1917, une promenade sur les quais de la Seine procure à Cendrars une partie des documents indispensables pour stimuler son inspiration. Dans la boîte d'un bouquiniste, il déniche un numéro de 1862 de la revue *Le Tour du monde*. Il contient le récit d'un voyage effectué trois ans plus tôt par un certain L. Simonin sur les terres mêmes de Suter[1].

En d'autres temps, ce coup de pouce du destin aurait incité Cendrars à se consacrer corps et biens à la résurrection de son héros. Mais dans les années suivantes, et jusqu'en 1923, il est asservi à d'autres mythes. Après avoir assisté Abel Gance sur le tournage de *J'accuse* et *La roue*, il mènera un combat perdu pour devenir lui-même réalisateur de films en Italie. Revenu de ses illusions, il part pour le Brésil où il est l'invité de Paulo Prado et de ses amis.

Grâce au recul procuré par ses huit mois d'absence (février-septembre 1924), Cendrars réalise que son salut se trouve dans l'écriture. L'écriture de romans, plus nourriciers que la poésie, si prestigieuse soit-elle. Alors, Moravagine ou Suter? C'est vers le conquérant de la Californie que le ramène l'épopée brésilienne. Au Brésil, dernière porte encore ouverte aux aventuriers en quête d'espaces à conquérir, les plantations de Paulo Prado et du docteur Padroso, conquises sur la nature, incitent à la comparaison avec le défrichement de la Nouvelle Helvétie.

Une lettre du 13 février 1925 à Prado, et l'évoca-

1. A. t'Serstevens. *L'Homme que fut Blaise Cendrars*. Denoël, 1972.

tion d'Oswald Padroso dans *La Tour Eiffel sidérale*, en 1949, confirment qu'il a découvert sur leurs terres sa vocation de romancier. « [...] Car c'est au retour de ce premier voyage dans la province de São Paulo que j'ai publié *L'or* chez Grasset, un livre auquel je pensais depuis plus de dix ans, un manuscrit quasi abandonné et auquel je ne travaillais que par intermittence, une histoire merveilleuse que je me mis tout à coup à élaguer et à dépouiller pour en faire une histoire vraie [...]. »

L'ouvrage s'appelle encore *La merveilleuse histoire du général Johann August Suter* peu avant d'être achevé d'imprimer le 6 mars 1925. Et avant que Grasset, de retour après une absence, ne s'avise, avec son flair habituel pour la publicité, que le titre, trop long, gênera la promotion. Il recommande à l'auteur d'en faire le sous-titre d'un titre du genre : *Midas, la merveilleuse histoire*... Midas n'évoque rien pour l'immense majorité des lecteurs étrangers à la mythologie grecque. L'auteur propose alors un titre d'une seule syllabe : *L'or*. D'un laconisme magique et fulgurant, il renoue avec la poésie phonétique d'*Alcools* que Cendrars avait suggéré à Apollinaire au lieu de : *Eaux de vie*.

La magie s'empare du public, propulsée sans tarder par une critique enthousiaste. Et parfois dithyrambique : il ne lui est donné que trois ou quatre fois par siècle de pouvoir célébrer la naissance d'un grand romancier.

Paul Lombard proclame : « C'est beau, c'est effrayant, symbolique et marqué du sceau de la fatalité, comme la Tétralogie. C'est l'histoire d'une destinée née sous la patte velue d'un Dieu qui s'amuse.» Il voit dans *L'or* «l'image du monde, de tous les mondes et le reflet de tous les temps [1]».

Jacques Bainville, *alias* Orion, reconnaît à l'auteur l'immense mérite d'avoir «si bien traduit, autant et plus par ses silences, par la coupe de ses paragraphes, que par ses paroles écrites, cette variété et cette puissance du destin dont seul le spectacle de la mer peut fournir à l'esprit un symbole [2]».

Pour Joseph Delteil — appelé à commettre plusieurs biographies romancées [3] —, ce livre est «l'histoire d'une volonté de la volonté de l'homme, l'un des contes les plus capables d'enorgueillir l'homme. [...] Le journal de bord d'un homme d'action. [...] Et il y a une poésie des faits, la plus belle. [...] L'un des premiers [Cendrars] a reconnu que la planète Terre est bonne, et qu'il est grand d'y vivre. Un jour on écrira : la Vie merveilleuse du général Blaise Cendrars [4].»

Dans ce concert de louanges, Cendrars a dû apprécier celles du traducteur américain de ses poèmes, le grand romancier John Dos Passos. Dans son livre *Orient-Express*, il dit son admiration pour un récit «qui éventre comme un coup de couteau la stupidité fadasse de presque toute la prose française actuelle.

1. *L'Homme libre*, 16 avril 1925.
2. *L'Action française*, 15 avril 1925.
3. *La Fayette*, *Jeanne d'Arc*, *Il était une fois Napoléon*, *François d'Assise*.
4. *La Nouvelle Revue française*, n° 140, 1er mai 1925.

[...] Cendrars a réussi à saisir les rythmes grandioses de l'Amérique d'il y a trois quarts de siècle, et dont notre génération commence tout juste à créer les mythes. [...] Il concentre dans une sorte de fusée volante toute l'absurdité tragique et turbulente de la ruée de 1849 ».

Malheureusement les compatriotes de Dos Passos ne partagèrent pas son admiration prophétique pour *Sutter's Gold.* Les Américains, peuple jeune, ont trop peu de mythes pour permettre aux étrangers de jouer avec eux. De plus, par un fâcheux égocentrisme sans nuances et toujours en vigueur, ils traitent en ennemis incontidionnels ceux qui ne se comportent pas en thuriféraires inconditionnels.

« Un chœur unanime s'élève, écrit Miriam Cendrars [1], critiques littéraires (?), bibliothécaires, archivistes, libraires détaillent avec une agressive précision les erreurs historiques perpétrées dans son récit de la vie du général Johann August Sutter (avec deux *t*) qu'ils considèrent de toute évidence comme leur propriété exclusive. » « Ouvrage écœurant et scandaleux », « grotesque portrait » ; « choquantes falsifications ». Voilà pour l'œuvre, et voici pour l'auteur : « prévaricateur sans scrupules, fictionnisateur de l'histoire insouciant de l'exactitude de son récit ». Et, excommunication suprême — ou cerise sur le baba : « *unscholarly freshman* » (non-universitaire). Une accusation savoureuse, à l'encontre d'un homme devenu la proie des universitaires du monde entier...

1. *Blaise Cendrars,* Balland, 1984, p. 411-414.

En signe de civisme, les libraires renvoient les exemplaires de *Sutter's Gold* à l'éditeur Harper. À ce concert d'imprécations hargneuses « vient s'ajouter un incident sans précédent dans la presse : le mensuel *Motorland* de San Francisco, qui avait commencé la publication de *Sutter's Gold* en feuilleton, l'interrompt au deuxième épisode ».

De toute évidence, les Américains ignorent l'existence d'un genre à mi-chemin entre biographie et roman, la biographie romancée. Il s'épanouit en France entre autres chez Flammarion (« Leurs amours »), Grasset (« La vie de bohème »), Plon (« Le roman des grandes existences »). Collections honorées de la collaboration de membres ou futurs membres des Académies... Bien que publié en dehors de telles collections, *L'or* pouvait se réclamer de la biographie romancée. L'auteur a préféré aller plus loin encore, en le qualifiant de *roman*. La proclamation envoyée aux libraires avant la sortie du livre annonçait : « C'est un roman et c'est un film. » Il le répétera le 4 mars 1927 dans une lettre à ses éditeurs navrés.

« Le titre complet de l'édition française de *Sutter's Gold* est : *L'or, Histoire merveilleuse du général J.A. Suter*. Le mot "merveilleux" indique que je n'ai jamais eu l'intention d'écrire la biographie officielle et détaillée du général J.A. Suter.

« J'ai fait œuvre d'artiste et non pas d'historien, un livre synthétique et non pas analytique, une multiplication et non pas une addition, un portrait vivant du général et non pas le déshabillage d'une momie.

« Une œuvre de fiction.

« Un roman.

« C'était mon droit le plus absolu. Ma seule raison d'être un écrivain[1]. »

(Un droit qui sera exercé, entre autres, par Marguerite Yourcenar, à propos de l'empereur Hadrien...)

Plus tard, à propos d'un essai sur François Villon, en songeant encore à ses mésaventures américaines, Cendrars explicitera ce point de vue avec une pointe de sarcasme : « La vérité historique coupe les ailes du romancier, ou ses ficelles, et détraque ses effets. [...] C'est pourquoi le héros d'un roman est toujours aux antipodes des contingences de la vérité historique telle que les érudits, ces détectives scientifiques, ces policiers bertillonneurs[2] de l'histoire, mais aussi ces saint Thomas qui ne croient pas à la vie et à la résurrection, conçoivent cette vérité[3]. »

Sages préceptes : Cendrars aurait été avisé de les observer quand il travaillait à sa biographie du corsaire américain, *John Paul Jones ou l'ambition*. Pour s'être trop soucié de la vérité historique, il a entassé une documentation qui a étouffé son inspiration. Il ne l'achèvera pas.

Parmi les « falsifications » reprochées à Cendrars, certaines concernent des détails minimes : gibier pour cuistres. D'autres relèvent d'une stratégie litté-

1. Cité par Claude Leroy, *op. cit.*

2. Alphonse Bertillon, créateur de l'anthropométrie : méthode consistant à mesurer les détails de l'anatomie, pour l'identifier à une époque où le rôle des empreintes digitales n'était pas encore reconnu.

3. « Sous le signe de François Villon », *La Table ronde*, n° 41, mars 1952.

raire, visant à magnifier, par contraste, le destin tragique du héros. Cendrars avait ses raisons, on le verra plus loin, de faire mourir la femme de Suter en 1849 — dès son arrivée en Californie, et non en 1881, six mois après le décès du général.

On lui a reproché d'avoir souillé l'image du père de la Californie. En faisant de lui, au contraire de la vérité historique, un vieillard misérable dont les propos dérangés et la tenue râpée font la joie de tous les garnements de Washington. Sans prétendre, comme Alexandre Dumas, que l'Histoire est un clou où l'on peut accrocher un beau tableau, Cendrars n'avait que faire d'un vieillard vénérable et sensé — et encore assez fortuné pour faire construire en Pennsylvanie une maison en briques ? la seule construction de ce type à Lititz étant l'hôtel.

L'unique erreur dont Cendrars accepte, sur un ton plaisant, la responsabilité est d'ordre topographique. Encore atténue-t-il cette responsabilité en la partageant avec Martin Birmann, l'auteur de la brochure suisse. « [...] Une erreur monumentale et qui reste impardonnable puisque je connaissais la région du Sacramento, que j'y ai chassé l'ours. Imaginez-vous que je fasse passer les bateaux-mouches place du Tertre à Montmartre, hein, qu'en dites-vous, c'est de taille[1] ! » Lors de l'arrivée de Suter en Californie, Cendrars lui avait fait remonter la vallée du Sacramento par la voie terrestre, la voie fluviale étant alors la seule possible.

1. *Blaise Cendrars vous parle,* entretiens avec Michel Manoll. Denoël, 1952.

Avec ses inexactitudes voulues ou involontaires, *Sutter's Gold* aura eu au moins le mérite de pousser les Américains à s'intéresser à leur passé, et à redécouvrir un héros tombé en désuétude avant que Cendrars ne vienne le chercher au royaume des morts. Depuis le jour de 1854 où il a été nommé général de la milice de Californie pour marquer le cinquième anniversaire de l'adhésion de cet État à l'Union, Suter n'a guère recueilli d'honneurs ni fait vibrer le cœur de l'Amérique.

Jusqu'à la flamboyante image d'Épinal imposée en 1927 par *Sutter's Gold*, il n'avait inspiré aux patriotes, historiens et *scholars* qu'un seul livre — ouvrage d'ensemble plus que biographie : *The Life and Times of Gen. J.A. Sutter*, par Thomas Schoonover (1895). Une postérité au rabais pour le père fondateur de la Californie...

La Mecque du cinéma ne s'y est pas trompée : en 1936, pour réaliser l'unique film révélant la légende de Sutter aux foules américaines, c'est le roman de Cendrars que Hollywood a utilisé... et non le travail de Schoonover. Cendrars peut se flatter encore d'être à l'origine de la biographie — la deuxième en cinquante ans ! — parue en 1939. Et traduite en français sous le titre : *À la conquête de la Californie. La vie et les aventures du colonel Sutter, roi de la Nouvelle Helvétie*. Il est l'œuvre de James Peter Zollinger, un universitaire américain, d'origine suisse, révolté par les approximations et inventions de son compatriote. Bien qu'il ne cite pas une seule fois le nom de Cendrars — pas même dans la bibliographie —, le livre, entrepris dès 1927, est une réponse à *Sutter's Gold*.

C'est l'anti-Cendrars : dans la motivation de départ, la méthode de travail, l'approche du personnage et dans le style. Il a coûté à l'auteur plus de dix ans de recherches dans les archives fédérales, californiennes ou privées, imprimées ou manuscrites : correspondances diverses, baux, traités, actes juridiques, documents d'état civil, annonces légales, discours, procès-verbaux d'assemblées, articles de journaux, pièces de procès. Il en résulte un ouvrage quatre fois plus copieux que le récit de Cendrars : 930 000 signes contre 210 000.

Sur le plan historique, c'est un travail tout à fait remarquable. Il recense de façon exhaustive, à partir de 1838, tous les événements publics de la vie du général puis de sa famille. Mais quantité n'est pas synonyme de qualité : Zollinger est loin de posséder la plume alerte de Cendrars ou son art de mettre en scène l'événement. Bardé de documents et de chiffres, il n'a pas su aller à l'essentiel ni dominer son érudition. Son récit est farci de précisions tatillonnes et de références superflues dont la prolifération étouffe peu à peu le rayonnement du personnage. On pense au *Chef-d'œuvre inconnu* de Balzac qu'un excès de touches et retouches transforme en un barbouillage obscur.

De cette pléthore de pièces justificatives, Sutter émerge comme un bourgeois respectable et sans charisme. Récompensé de son esprit d'entreprise dans la première partie de sa vie, il se distingue dans la seconde par son opiniâtreté à multiplier les procédures. Pour récupérer des propriétés rendues indéfendables par leur immensité, et usurpées par une multitude de pillards que favorisait le vide législatif. Résultat : Zollinger livre un compte de pertes et profits, un catalogue des infortunes du droit de propriété, là où Cendrars faisait flamboyer une destinée : César Birotteau, au lieu du roi Lear... Cendrars avait beau jeu de se livrer à une provocation, pertinente et prophétique envers les savantasses. Qualifiés par lui de « cafards », « moralistes », « larves », « ils grignotent les textes, piquent et abîment les documents comme les vers et les rats des archives ». La méthode de Zollinger est à l'opposé de celle de Cendrars qui proclame : « La Seule Vérité, c'est la vie. [...] La Vérité Historique, c'est le point de vue de Sirius. On ne distingue plus rien de cette hauteur. Il faut descendre, se rapprocher, faire un gros plan. Voir. Voir de près. Se pencher sur. Toucher du doigt. Découvrir l'humain.

« La Vérité Historique c'est la mort.

« Une abstraction.

« De la Pédagogie [1]. »

Ce règlement de comptes entre deux Suisses, pardessus le cadavre enbaumé d'un troisième Suisse, a l'avantage de permettre la comparaison entre l'approche pédagogique d'un personnage historique et l'approche poétique qui le transforme en héros légendaire.

1. *John Paul Jones ou l'ambition*, Fata Morgana, 1989.

L'or est plus qu'une simple biographie romancée. Faute de mieux, Cendrars a qualifié son livre de roman ou d'histoire merveilleuse. Les critiques, très sensibles au rythme du style, y voient plutôt un poème en prose en 74 chapitres. Il est pourtant un genre littéraire dans lequel aucun commentateur n'a songé à classer ce livre. Il réunit la fiction, le merveilleux et la poésie : c'est la légende épique.

Cendrars a agi avec Suter comme le moine Turold avec Roland de Roncevaux. *La Chanson de Roland* reste un des monuments fondateurs de la littérature française ; même après les révélations de Gaston Paris à la fin du siècle dernier (selon lui Roland n'a pas succombé sous le poids d'une armée de Sarrasins, il a été victime d'une bande de contrebandiers basques).

L'approche légendaire réduit dès lors les « erreurs historiques » de Cendrars à des licences poétiques destinées à rehausser le caractère du héros. Zollinger termine son récit comme un banal fait divers : Sutter meurt d'une crise cardiaque dans la chambre de l'hôtel Made's où il avait l'habitude de séjourner pendant les sessions du Congrès. Cendrars, lui, foudroie le héros déchu sur les marches mêmes menant à ce Congrès désespérément sourd à ses réclamations. Et il l'ensevelit dans l'ombre projetée par le Capitole : on ne pouvait trouver meilleur linceul ni fin plus belle pour ce rêve fracassé.

De même pour le suicide du fils aîné chargé par Sutter de soutenir ses procès. En situant ce décès dans un bouge de San Francisco, en pleine débâcle, Cendrars lui donne une dimension tragique. Trente ans après, dans un hôtel d'Ostende, ce n'est plus qu'un banal fait divers. Et Mme Sutter, en mourant dans les bras de son mari, en 1849, le jour même où elle le retrouve après quatorze ans de séparation, nous émeut plus que par son décès réel survenu un an après celui du général en 1881.

Dans un pays où la religion conserve aujourd'hui encore une grande influence, on imagine l'indignation soulevée en 1927 par l'image glauque donnée par Cendrars des dernières années de Suter, devenu la proie de l'Église morave des Herrnhutes (et non *Herrenhutter* comme il l'écrit). Ensorcelé par un gourou qui entretient ses obsessions procédurières pour recueillir les dernières miettes de sa fortune, le vieillard s'est livré corps et biens à une secte qui met en commun les biens individuels... et les femmes! Fiction blasphématoire, mais aujourd'hui souvent dépassée par la réalité.

En vérité Suter ne fut jamais membre de l'Église morave. (Et celle-ci ne pratiqua jamais la communauté des biens et encore moins des femmes!) S'il fit construire une maison en briques dans le village de maisons en planches qu'était alors Lititz, c'est parce que les habitants — certes membres de l'Église morave — étaient germanophones. Et la réputation des écoles des Herrnhutes lui garantissait une bonne éducation pour ses petits-enfants. Faire de Suter la victime d'une captation d'héritage, un vieillard à demi fou mêlant ses obsessions procédurières aux imprécations de l'Apocalypse, devenu son livre de chevet, permettait à Cendrars de noircir le tableau.

Tout comme Turold faisant de Roland la victime d'une armée de Sarrasins, il élargissait la dimension tragique du personnage. Celui dont il avait fait d'abord un Marco Polo mâtiné de Guillaume Tell finissait en roi Lear. Fou et non aveugle, mais la folie est aussi un aveuglement.

Il s'agit de légende, et non d'Histoire, ne l'oublions pas. L'auteur le proclame avant tout préambule. De même que les chanteurs de complainte interpellaient l'auditoire avant d'entonner leurs couplets : « Bonnes gens, écoutez la tragique (ou merveilleuse) histoire... », de même Marco Polo annonce, avant d'entrer au cœur de son *Livre des merveilles* : « Ci finit le prologue et commence le livre du Devisement du Monde. » Cendrars annonce à son tour : « C'est ici que commence la merveilleuse histoire du général Johann August Suter. » Et il ajoute : « C'est un dimanche. »

Car l'abondance de détails quotidiens supplée à l'imprécision historique. Elle permet de toucher et d'animer un personnage embaumé par l'Histoire. Et Cendrars a l'art du détail et de la profusion.

Quand Suter débarque pour la première fois sur la plage qui deviendra San Francisco, « les sables ont une couleur grisâtre sans cesse battus par les vagues, ils sont parfaitement unis, d'une consistance très solide et offrent au voyageur un chemin très commode auquel n'a jamais contribué le travail de l'homme et qui s'étend à perte de vue. Une plante à longues tiges rampantes est tout ce qui croît çà et là ». Suter ne se borne pas à avancer sur le sable quelconque, « il écrase un grand nombre de mollusques vésiculeux couleur de rose et qui éclatent avec bruit ». De même, lorsque Mme Suter arrive à Panama, « le soleil est comme une pêche fondante ». Écrire que Suter se repose dans un hamac, c'est donner une information. Préciser « un hamac d'écorce », c'est créer une image.

Quand on lui annonce qu'un premier jugement vient de reconnaître ses droits, « Suter était en train de lire une brochure sur l'élevage des vers à soie. Immédiatement il saute sur sa redingote qu'il brosse lui-même à tour de bras ». D'une simple information, Cendrars tire une scène criante de vie. Ainsi l'arrivée de la première mission américaine par la Sierra Nevada. « Suter s'était porté à sa rencontre avec une escorte de 25 hommes splendidement équipés. Les bêtes étaient des étalons. L'uniforme des cavaliers d'un drap vert sombre relevé d'un passepoil jaune. Le chapeau incliné sur l'oreille, les gars avaient l'allure martiale. Ils étaient tous jeunes, vigoureux, bien disciplinés. » La garde prétorienne d'un souverain recevant un ambassadeur…

La précision s'étend ici au sexe des chevaux, à la couleur des uniformes, à l'inclinaison du chapeau. L'abondance de détails s'accompagne souvent d'une abondance de chiffres. Le premier contingent de travailleurs importés de Polynésie par Suter est composé de 150 Canaques accompagné de dix-neuf Blancs ; on les logera dans six villages. L'usage des nombres répond parfois à un besoin incantatoire. « Dix mille émigrants pour la Californie se rassemblèrent à New

York et à Boston. [...] 500 hommes défilèrent en quinze jours dans un seul petit hôtel de Broadway et tous se rendaient au Far West. Au mois d'octobre 21 navires avaient déjà quitté le grand port de l'Est à destination de la rive pacifique; 48 autres se préparaient à appareiller; le 11 décembre, le centième sortait de l'Hudson.»

Cendrars se livre à un clin d'œil (inaperçu jusqu'ici) lorsqu'il détaille avec délices l'inflation du prix des denrées provoquées par le *Gold rush* sur les terres du pauvre Suter. «Le sucre vaut cinq dollars (le kilo?), le café dix, un œuf vingt, un oignon deux cents, un verre d'eau, mille.» Le verre d'eau cinquante fois plus cher qu'un œuf!

Cet abus des nombres a, bien sûr, intrigué les commentateurs. Dans son excellent commentaire de *L'or*, Claude Leroy s'interroge : «À quoi bon cette profusion de détails et surtout de détails chiffrés dont l'importance ne s'impose pas dans l'économie du récit et que le lecteur, dans un récit pourtant si laconique, est tenté de "sauter"[1]?» Il répond que ces nombres «contribuent à produire ce que Barthes appelle un *effet de réel*».

Pour traduire le langage des *scholars* en termes vulgaires, je dirai que le conteur populaire, pour charmer son auditoire, n'enchaîne pas des actions abstraites, il donne à voir des images qui naissent d'un mot, tout comme le génie naissait de la lampe d'Aladin. Dans ces images la profusion crée le merveilleux

1. *Op. cit.*, p. 80.

par l'exotisme et transforme chacune d'elles en caverne d'Ali Baba. En dépit de sa charge merveilleuse, l'image resterait inerte, comme un bric-à-brac, si la précision chiffrée ne venait l'animer. Dire que Suter accueille la première mission américaine, escorté d'un groupe de jeunes hommes à cheval, c'est un tableau. Préciser qu'ils sont vingt-cinq montés sur des étalons, donc piaffants, c'est une image en mouvement.

Marco Polo n'agit pas autrement lorsque, six siècles plus tôt, dans le *Livre des merveilles*, il décrit une vue cavalière de Taidu, l'actuelle Pékin : « Elle a de tour vingt-quatre milles. Chaque face a six milles, car elle est toute carrée, d'une part comme de l'autre. Elle est toute murée de murs de terre gros au bas de bien dix pas, mais ne sont pas si gros en haut, car ils vont toujours en rétrécissant, si bien que le haut n'a pas plus de trois pas. Ils sont tous crénelés, avec des créneaux blancs, et sont hauts de plus de dix pas. La ville a douze portes, et sur chaque porte il y a un grand palais très beau, de sorte que chaque côté a trois portes et cinq palais, parce qu'il y a un palais très grand et très beau à chaque coin. [...] Et quand je vous dis qu'il est ordonné que chaque porte de la cité soit gardée par mille hommes armés, ne croyez pas qu'ils les gardent parce qu'ils ont peur de quelqu'un [1]. »

Si Cendrars avait transcrit en mots la *Tapisserie de la reine Mathilde*, il aurait donné pour chaque scène

1. Marco Polo, *Le Devisement du monde*.

le nombre exact d'interlocuteurs ou d'archers figurant sur la toile. Par cette précision, l'image inerte se serait mise en mouvement.

On l'a vu, l'auteur de *L'or* avait pris soin de faire remarquer aux libraires américains : « C'est un roman et c'est un film. » Une légende — *La Chanson de Roland* ou toute autre — c'est, comme le cinéma, une succession d'images en mouvement. Cendrars s'est parfaitement adapté à la structure du récit légendaire, en racontant la destinée de Suter « au présent de l'indicatif, celui des cinq modes du verbe qui exprime l'état, l'existence ou l'action d'une manière certaine, positive, absolue [1] ».

Les phrases courtes et souples de Cendrars, et le flux alerte et rapide qu'elles composent, conviennent parfaitement au tempérament d'un homme qui, jusque dans les événements les plus ordinaires de la vie, reste un conducteur d'épopée.

On observera qu'un auteur plus littéraire que Cendrars et au style beaucoup plus chargé que le sien a su consentir au même effort d'adaptation. Lorsque Balzac insère dans *Le Médecin de campagne* une mini-légende épique — il a su prêter la même simplicité de ton au fantassin Goguelat, chargé de la raconter à des paysans assemblés pour la veillée. « Alors Napoléon, qui n'était encore que Bonaparte, nous souffle

1. Cendrars ajoute : « Ce qui frappa comme une nouveauté certains très rares écrivains de mes amis, mais simplicité qui déplut au plus grand nombre des hommes de lettres et des critiques littéraires qui eurent à s'occuper de ce petit volume » (*La Tour Eiffel sidérale*, 1949). C'est inexact en France, l'accueil critique de *L'or* fut excellent.

je ne sais quoi dans le ventre. Et l'on marche la nuit, et l'on marche le jour, l'on te les tape à Montenotte, on court les rosser à Rivoli, Lodi, Arcole, Millesimo, et on ne te les lâche pas. Le soldat prend goût à être vainqueur. Alors Napoléon vous enveloppe ces généraux allemands qui ne savaient où se fourrer pour être à leur aise, les pelote très bien, leur chipe quelquefois des dix mille hommes d'un seul coup en vous les entourant de quinze cents français qu'il faisait foisonner à sa manière. Enfin leur prend leurs canons, vivres, argent, munitions, tout ce qu'ils avaient de bon à prendre, vous les jette à l'eau, les bat sur les montagnes, les mord dans l'air, les dévore sur terre, les fouaille partout. »

Faisant du général Suter le héros d'une légende épique, Cendrars était donc en droit de s'autoriser, par rapport à l'Histoire, toutes les distorsions ou enluminures propres à le magnifier. Il aurait pu répondre à ses détracteurs américains par la sentence mise par le cinéaste John Ford dans la bouche d'un personnage du film *L'homme qui tua Liberty Valance* : « Ici, dans l'Ouest, quand nous avons à choisir entre la vérité et la légende, nous choisissons toujours la légende. »

Francis Lacassin

CHAPITRE I

1

La journée venait de finir. Les bonnes gens rentraient des champs, qui une bine sur l'épaule ou un panier au bras. En tête venaient les jeunes filles en corselet blanc et la cotte haut-plissée. Elles se tenaient par la taille et chantaient :

Wenn ich ein Vöglein wär
Und auch zwei Flüglein hätt
Flög ich zu dir...

Sur le pas de leur porte, les vieux fumaient leur pipe en porcelaine et les vieilles tricotaient de longs bas blancs. Devant l'auberge « Zum Wilden Mann » on vidait des cruchons du petit vin blanc du pays, des cruchons curieusement armoriés d'une crosse d'évêque entourée de sept points rouges. Dans les groupes on parlait posément, sans cris et sans gestes inutiles. Le sujet de toutes les conversations était la chaleur précoce et extraordinaire pour la saison et la sécheresse qui menaçait déjà la tendre moisson.

C'était le 6 mai 1834.

Les vauriens du pays entouraient un petit Savoyard qui tournait la manivelle de son orgue de Sainte-Croix, et les mioches avaient peur de la marmotte émoustillée qui venait de mordre l'un d'eux. Un chien noir pissait contre l'une des quatre bornes qui encadraient la fontaine polychrome. Les derniers rayons du jour éclairaient la façade historiée des maisons. Les fumées montaient tout droit dans l'air pur du soir. Une carriole grinçait au loin dans la plaine.

Ces paisibles campagnards bâlois furent tout à coup mis en émoi par l'arrivée d'un étranger. Même en plein jour, un étranger est quelque chose de rare dans ce petit village de Rünenberg; mais que dire d'un étranger qui s'amène à une heure indue, le soir, si tard, juste avant le coucher du soleil? Le chien noir resta la patte en l'air et les vieilles femmes laissèrent choir leur ouvrage. L'étranger venait de déboucher par la route de Soleure. Les enfants s'étaient d'abord portés à sa rencontre, puis ils s'étaient arrêtés, indécis. Quant au groupe des buveurs, « Au Sauvage », ils avaient cessé de boire et observaient l'étranger par en dessous. Celui-ci s'était arrêté à la première maison du pays et avait demandé qu'on veuille bien lui indiquer l'habitation du syndic de la commune. Le vieux Buser, à qui il s'adressait, lui tourna le dos et, tirant son petit-fils Hans par l'oreille, lui dit de conduire l'étranger chez le syndic. Puis il se remit à bourrer sa pipe, tout en suivant du coin de l'œil l'étranger qui s'éloignait à longues enjambées derrière l'enfant trottinant.

On vit l'étranger pénétrer chez le syndic.

Les villageois avaient eu le temps de le détailler au passage. C'était un homme grand, maigre, au visage prématurément flétri. D'étranges cheveux d'un jaune filasse sortaient de dessous un chapeau à boucle d'argent. Ses souliers étaient cloutés. Il avait une grosse épine à la main.

Et les commentaires d'aller bon train. « Ces étrangers, ils ne saluent personne », disait Buhri, l'aubergiste, les deux mains croisées sur son énorme bedaine. « Moi, je vous dis qu'il vient de la ville », disait le vieux Siebenhaar qui autrefois avait été soldat en France; et il se mit à conter une fois de plus les choses curieuses et les gens extravagants qu'il avait vus chez les Welches. Les jeunes filles avaient surtout remarqué la coupe raide de la redingote et le faux col à hautes pointes qui sciait le bas des oreilles; elles potinaient à voix basse, rougissantes, émues. Les gars, eux, faisaient un groupe menaçant auprès de la fontaine; ils attendaient les événements, prêts à intervenir.

Bientôt, on vit l'étranger réapparaître sur le seuil. Il semblait très las et avait son chapeau à la main. Il s'épongea le front avec un de ces grands foulards jaunes que l'on tisse en Alsace. Du coup, le bambin qui l'attendait sur le perron, se leva, raide. L'étranger lui tapota les joues, puis il lui donna un thaler, foula de ses longues enjambées la place du village, cracha dans la fontaine en passant. Tout le village le contemplait maintenant. Les buveurs étaient debout. Mais l'étranger ne leur jeta même pas un regard, il regrimpa dans la carriole qui l'avait amené et disparut bientôt en prenant la route plantée de sorbiers qui mène au chef-lieu du canton.

Cette brusque apparition et ce départ précipité bouleversaient ces paisibles villageois. L'enfant s'était mis à pleurer. La pièce d'argent que l'étranger lui avait donnée circulait de main en main. Des discussions s'élevaient. L'aubergiste était parmi les plus violents. Il était outré que l'étranger n'ait même point daigné s'arrêter un moment chez lui pour vider un cruchon. Il parlait de faire sonner le tocsin pour prévenir les villages circonvoisins et d'organiser une chasse à l'homme.

Le bruit se répandit bientôt que l'étranger se réclamait de la commune, qu'il venait demander un certificat d'origine et un passeport pour entreprendre un long voyage à l'étranger, qu'il n'avait pas pu faire preuve de sa bourgeoisie et que le syndic, qui ne le connaissait pas et qui ne l'avait jamais vu, lui avait refusé et certificat et passeport.

Tout le monde loua fort la prudence du syndic.

Voici le dialogue qui avait lieu le lendemain matin dans le cabinet du secrétaire de police, à Liesthal, chef-lieu du canton. Il était à peine onze heures.

Le vieux greffier : Voulez-vous établir un passeport pour la France au nom de Johann August Suter, natif de Rünenberg?

Le secrétaire de police Kloss : A-t-il un certificat d'origine établi par le syndic de sa commune?

Le vieux greffier : Non, il n'en a pas; mais son père était un ami à moi et je me porte garant.

Le secrétaire de police Kloss : Alors je n'établis pas de passeport. Le patron est absent. Lui peut faire ce qu'il veut. Malheureusement il est à Aarau, et moi je n'établis pas de passeport dans ces conditions.

Le vieux greffier : Voyons, mon cher, vous exagérez. Je vous dis que son père était un vieil ami à moi. Qu'est-ce qu'il vous faut de plus?

Le secrétaire de police Kloss : Mon cher Gäbis, je fais mon devoir. Tout le reste ne me regarde pas. Je ne fais pas de passeport sans certificat d'origine.

Tard dans la soirée, une lettre de cachet arrivait de Berne; mais l'étranger avait déjà franchi la frontière suisse.

2

Johann August Suter venait d'abandonner sa femme et ses quatre enfants.

Il traversa la frontière suisse au-dessous de Mariastein; puis, en suivant l'orée des bois, il gagna les montagnes d'en face. Le temps continuait à être très chaud et le soleil était brûlant. Le soir même, Suter avait atteint Férette, et comme un violent orage éclatait, il passa la nuit dans une grange abandonnée.

Le lendemain, il se remettait en marche avant l'aube. Il se rabattit vers le sud, évita Delle, franchit le Lomont et pénétra dans le pays du Doubs.

Il venait de faire plus de vingt-cinq lieues d'une traite. La faim le tiraillait. Il n'avait pas un fifrelin en poche. Le thaler, qu'il avait donné au bambin de Rünenberg, était son dernier argent.

Il erra encore deux jours dans les hauts pâturages désertiques des Franches-Montagnes, rôdant le soir autour des fermes, mais l'aboiement des chiens le faisait rentrer sous bois. Un soir pourtant il parvint à traire une vache dans son chapeau et but goulûment ce chaud lait écumeux. Jusque-là, il n'avait fait que brouter des touffes d'oseille sauvage et sucer des tiges de gentianes en fleur. Il avait trouvé la première fraise de l'année et devait s'en souvenir longtemps.

Des paquets de neige durcissaient à l'ombre des sapins.

3

Johann August Suter avait à cette époque trente et un ans.

Il était né le 15 février 1803, à Kandern, Grand-Duché de Bade.

Son grand-père, Jakob Suter, le fondateur de la dynastie des « Suter, papetiers », ainsi qu'ils figurent sur les registres de l'église de Kilchberg à Bâle, avait quitté la petite commune de Rünenberg à l'âge de quinze ans pour aller en apprentissage en ville. Quelque dix ans plus tard, il était devenu le plus gros fabricant de papier de Bâle et ses affaires avec les petites villes universitaires de l'Allemagne du Sud prenaient un tel développement, qu'il créait à Kandern de nouvelles fabriques de papier. C'est le père de Johann August, Hans Suter, qui dirigeait cette dernière manufacture.

C'était alors le bon vieux temps des corporations; le maître papetier signait encore avec ses commis et ses employés des contrats et des engagements de cent un ans, et sa femme, la patronne, faisait bouillir tous les printemps, pour sa famille et celle de ses ouvriers, la tisane dépurative que l'on prenait en commun. Les secrets de fabrication passaient de père en fils, et avec l'extension des affaires, de nouvelles branches, se rattachant toutes à l'industrie et au commerce du papier – l'impression, la dominoterie, le livre, la librairie, l'édition – devenaient l'apanage de nouveaux membres de la famille. Chaque nouvelle génération, en se spécialisant, donnait un nouvel essor à « la papeterie » de l'ancêtre, déjà fameuse et bientôt de renommée européenne.

(Ainsi un oncle de Johann August Suter, Friederich Suter, avait fait la contrebande des pamphlets et des brochures révolutionnaires, passant d'énormes ballots d'imprimés de Suisse en Alsace et les distribuant dans le pays entre Altkirch et Strasbourg, ce qui lui avait valu de pouvoir assister à Paris, à titre de « fameux colporteur », aux journées de la Terreur de 1793 et de 1794, dont il a laissé un mémorial plein de détails inédits. – Aujourd'hui encore, un des derniers descendants du grand papetier, Gottlieb Suter, est établi relieur à Bâle, sur cette vieille et paisible place où les petites filles des écoles font des rondes et chantent autour de la statue du poète-paysan cantonal :

Johann Peter Hebel
Hat zwischen den Bein' ein Knebel
Und dass man ihn besser fassen kann
Hat er zwei grossen Knollen drann

C'est une toute petite échoppe. Gottlieb, un peu fou, court les sectes, les assemblées religieuses et évangélise les prisonniers dans les prisons. Il change de religion plus souvent que de chemise et bat ses enfants dru comme plâtre. Souvent aussi, il ne sort pas du cabaret où il soliloque dans son verre. Depuis le général, tous les Suter sont comme ça.)

4

A une lieue de Besançon, Johann August Suter trempe ses pieds meurtris dans un ruisseau. Il est assis au milieu des renoncules, à trente mètres de la grand-route.

Passent sur la route, sortant d'un petit bois mauve, une dizaine de jeunes Allemands. Ce sont de gais compagnons qui vont faire leur tour de France. L'un est orfèvre, l'autre ferronnier d'art, le troisième est garçon boucher, un autre laquais. Tous se présentent et entourent bientôt Johann. Ce sont de bons bougres, toujours prêts à trousser un jupon et à boire sans soif. Ils sont en bras de chemise et portent un balluchon au bout d'un bâton. Johann se joint à leur groupe se faisant passer pour ouvrier imprimeur.

C'est en cette compagnie que Suter arrive en Bourgogne. Une nuit, à Autun, alors que ses camarades dorment, pris de vin, il en dévalise deux ou trois et en déshabille un complètement.

Le lendemain, Suter court la poste sur la route de Paris.

Arrivé à Paris, il est de nouveau sans le sou. Il n'hésite pas. Il se rend directement chez un marchand de papier en gros du Marais, un des meilleurs clients de son père, et lui présente une fausse lettre de crédit. Une demi-heure après avoir empoché la somme, il est dans la cour des Messageries du Nord. Il roule sur Beauvais et de là, par Amiens, sur Abbeville. Le patron d'une barque de pêche veut bien l'embarquer et le mener au Havre. Trois jours après, le canon tonne, les cloches sonnent, toute la population du Havre est sur les quais : l'*Espérance,* pyroscaphe à aubes et à voilures carrées, sort fièrement du port et double l'estacade. Premier voyage, New York.

A bord, il y a Johann August Suter, banqueroutier, fuyard, rôdeur, vagabond, voleur, escroc.

Il a la tête haute et débouche une bouteille de vin.

C'est là qu'il disparaît dans les brouillards de la Manche par temps qui crachote et mer qui roule sec.

Au pays on n'entend plus parler de lui et sa femme reste quatorze ans sans avoir de ses nouvelles. Et tout à coup son nom est prononcé avec étonnement dans le monde entier.

C'est ici que commence la merveilleuse histoire du général Johann August Suter.

C'est un dimanche.

CHAPITRE II

5

Le port.

Le port de New York.

1834.

C'est là que débarquent tous les naufragés du vieux monde. Les naufragés, les malheureux, les mécontents. Les hommes libres, les insoumis. Ceux qui ont eu des revers de fortune; ceux qui ont tout risqué sur une seule carte; ceux qu'une passion romantique a bouleversés. Les premiers socialistes allemands, les premiers mystiques russes. Les idéologues que les polices d'Europe traquent; ceux que la réaction chasse. Les petits artisans, premières victimes de la grosse industrie en formation. Les phalanstériens français, les carbonari, les derniers disciples de Saint-Martin, le philosophe inconnu, et des Écossais. Des esprits généreux, des têtes fêlées. Des brigands de Calabre, des patriotes hellènes. Les paysans d'Irlande et de Scandinavie. Des individus et des peuples victimes des guerres napoléoniennes et sacrifiés par les congrès diplomatiques. Les carlistes, les Polonais, les partisans de Hongrie. Les illuminés de toutes les révolutions de 1830 et les derniers libéraux qui quittent leur patrie pour rallier la grande République, ouvriers, soldats, marchands, banquiers de tous les pays, même sud-américains, complices de Bolivar. Depuis la Révolution française, depuis la déclaration de l'Indépendance (vingt-sept ans avant l'élection de Lincoln à la présidence), en pleine croissance, en plein épanouissement, jamais New York n'a vu ses quais aussi continuellement envahis. Les émigrants débarquent jour et nuit, et dans chaque bateau, dans chaque cargaison humaine, il y a au moins un représentant de la forte race des aventuriers.

Johann August Suter débarque le 7 juillet, un mardi. Il a fait un vœu. A quai, il saute sur le sol, bouscule les soldats de la milice, embrasse d'un seul coup d'œil l'immense horizon maritime, débouche et vide d'un trait une bouteille de vin du Rhin, lance la bouteille vide parmi l'équipage nègre d'un bermudien. Puis il éclate de rire et entre en courant dans la grande ville inconnue, comme quelqu'un de pressé et que l'on attend.

6

– Vois-tu, mon vieux, disait Paul Haberposch à Johann August Suter, moi, je t'offre une sinécure et tu seras nourri, logé, blanchi. Même que je t'habillerai. J'ai là un vieux garrick à sept collets qui éblouira les émigrants irlandais. Nulle part tu ne trouveras une situation aussi bonne que chez moi; surtout, entre nous, que tu ne sais pas la langue; et c'est là que le garrick fera merveille, car avec les Irlandais qui sont de sacrés bons bougres, tous fils du diable tombés tout nus du paradis, tu n'auras qu'à laisser ouvertes tes oreilles pour qu'ils y entrent tous avec leur bon dieu de langue de fils à putain qui ne savent jamais se taire. Je te jure qu'avant huit jours, tu en entendras tant que tu me demanderas à entrer dans les ordres. Un Irlandais ne peut pas se taire, mais pendant qu'il raconte ce qu'il a dans le ventre, moi, je te demande de palper un peu son balluchon, histoire de voir s'il n'a pas un double estomac comme les singes rouges ou s'il n'est pas constipé comme une vieille femme. Je te donne donc mon garrick, un gallon de Bay-Rhum (car il faut toujours trinquer avec un Irlandais qui débarque, c'est une façon de se souhaiter la bienvenue entre compatriotes) et un petit couteau de mon invention, long comme le coude, à lame flexible comme le membre d'un eunuque. Tu vois ce ressort, presse dessus, na, tu vois, il y a trois petites griffes qui sortent du bout de la lame. C'est bien comme ça, oui. Pendant que tu lui parles d'O'Connor ou de l'acte de l'Union voté par le Parlement, mon petit outil te dira si ton client a le fondement percé ou s'il est bouché à l'émeri. Tu n'auras qu'à mordre dessus pour savoir si elle est en or ou en plomb, sa rondelle. Tu as compris? oui, eh bien, tant mieux, ça n'est pas trop tôt! Certes, c'est de mon invention; quand je naviguais sur les *Échelles*, il y avait un diable de chirurgien français à bord qui appelait ça un thermomètre. Alors je te confie le thermomètre et pas de blagues, hein? car tu me plais, fiston, votre mère n'a pas dû s'embêter en vous fabriquant. Écoutez. Surtout n'oublie pas de bien astiquer les boutons de ton garrick, il faut qu'ils brillent comme l'enseigne d'une bonne auberge, puis tu montres le flacon de rhum, car, comme dit le proverbe : bon sang ne saurait mentir, et avec tes cheveux de radis noir, mon garrick, les boutons astiqués comme des dollars gagnés aux dés, ils te prendront pour le cocher de l'archevêque de Dublin un jour de Grand pardon, et avec leurs idées d'Europe, ils te suivront tous jusqu'ici. Fais attention, hein, ne fais pas deadheat, ne te laisse pas souffler tes clients par le satané Hollandais d'en face; sinon gare! Encore un mot. Quand tu m'auras amené ici un de tes Irlandais de malheur, tâche de ne jamais plus le rencontrer dans ta vie, même pas dans cent ans! C'est tout ce que je te souhaite. Maintenant, fous le camp, on est paré.

– Il y a des tuyaux qui sont bons; il y a des tuyaux qui sont crevés. Moi, je vais t'apprendre comment on fait du lard avec du cochon.

C'est Hagelstroem qui parle, l'inventeur des allumettes suédoises. Johann August Suter est garçon livreur, empaqueteur et comptable chez lui. Trois mois se sont écoulés. Johann August Suter a quitté les abords immédiats du port et pénétré plus avant dans la ville. Comme toute la civilisation américaine, il se déplace lentement vers l'ouest. Depuis sa rencontre avec ce vieux corsaire d'Haberposch, il a déjà fait deux, trois métiers différents. Il s'enfonce de plus en plus en ville. Il travaille chez un drapier, chez un droguiste, dans une charcuterie. Il s'associe avec un Roumain et fait du colportage. Il est palefrenier dans un cirque. Puis maréchal-ferrant, dentiste, empailleur, vend la rose de Jéricho dans une voiture dorée, s'établit tailleur pour dames, travaille dans une scierie, boxe un nègre géant et gagne un esclave et une bourse de cent guinées, remange de la vache enragée, enseigne les mathématiques chez les Pères de la Mission, apprend l'anglais, le français, le hongrois, le portugais, le petit nègre de la Louisiane, le sioux, le comanche, le slang, l'espagnol, s'avance encore plus dans l'ouest, traverse la ville, franchit l'eau, sort en banlieue, ouvre un mastroquet dans un faubourg. A Fordham, parmi sa clientèle de rudes rouliers qui s'attardent à boire en se communiquant les mille nouvelles de l'intérieur, apparaît de temps à autre un buveur solitaire et taciturne, Edgar Allan Poe.

Deux ans se sont écoulés. Tout ce que Suter a ouï, vu, appris, entendu dire, s'est gravé dans sa mémoire. Il connaît New York, les vieilles petites rues aux noms hollandais et les grandes artères nouvelles qui se dessinent et que l'on va numéroter; il sait quel genre d'affaires on y traite, sur quoi s'édifie la prodigieuse fortune de cette ville; comment on s'y tient au courant de la progression des lentes caravanes de chariots dans les grandes plaines herbeuses du Middle West; dans quels milieux se préparent des plans de conquête et des expéditions encore ignorées du Gouvernement. Il a tellement bu de whisky, de brand, de gin, d'eau-de-vie, de rhum, de caninha, de pulque, d'aguardiente avec tous les enfants perdus retour de l'intérieur, qu'il est un des hommes les mieux renseignés sur les territoires légendaires de l'ouest. Il a plus d'un itinéraire en tête, a vent de plusieurs mines d'or, est le seul à connaître certaines pistes perdues. Deux, trois fois, il risque de l'argent dans des expéditions lointaines ou mise sur la tête de tel chef de bande. Il connaît les Juifs qui financent, qui sont comme les armateurs de ces sortes d'entreprises. Il connaît aussi les fonctionnaires qu'on peut acheter.

Et il agit.

D'abord prudemment.

Il s'associe, pour le voyage seulement, à des marchands allemands et part pour Saint-Louis, capitale du Missouri.

7

L'État du Missouri est grand comme la moitié de la France. La seule voie de communication est le gigantesque Mississippi. Il y reçoit ses principaux affluents, d'abord les eaux formidables du Missouri, que les grands bacs à vapeur et à roue transversale arrière remontent durant dix-huit cents lieues, et dont les eaux sont si pures que dix-huit lieues après leur jonction on les distingue encore des eaux vaseuses, troubles, terreuses, jaunies du Mississippi; puis, ce second fleuve, vraisemblablement aussi important et dont les eaux sont aussi pures, « la belle rivière », l'Ohio. Entre des rives basses, recouvertes de forêts, ces trois fleuves coulent majestueusement à leur rencontre.

Les populations grandissantes et fiévreusement agitées des États de l'est et du sud sont mises par ces artères géantes en communication avec les territoires inconnus qui s'étendent sans fin au nord et à l'ouest. Plus de huit cents bateaux à vapeur accostent annuellement à Saint-Louis.

C'est un peu au-dessus de la capitale, dans l'angle fertile formé par la jonction du Missouri et du Mississippi, exactement à Saint-Charles, que Johann August Suter achète des terres et s'établit fermier.

Le pays est beau et fertile. Le maïs, le coton et le tabac y poussent et surtout, plus au nord, le blé. Tous ces produits descendent le fleuve, vers les États plus chauds, pour être mesurés hebdomadairement aux Nègres qui travaillent dans les plantations de canne à sucre. Cela est d'un bon rapport.

Mais ce qui intéresse avant tout Suter dans ce trafic, c'est la parole vivante des voyageurs qui montent et descendent les rivières. Sa maison est ouverte à tous et sa table toujours mise. Une barque armée, montée d'esclaves noirs, arraisonne les bateaux qui passent et les mène à l'estacade. L'accueil est tel que la maison ne désemplit pas; aventuriers, colons, trappeurs qui descendent chargés de butins ou misérables, tous également heureux de se refaire là et de se remettre des fatigues de la brousse et des prairies; chercheurs de fortune, casse-cou, têtes brûlées qui remontent, la fièvre aux yeux, mystérieux, secrets.

Suter est infatigable, il les régale tous, passe des nuits à boire, interroge insatiablement son monde.

Mentalement il confronte tous ces récits, les classe, les compare. Il se souvient de tout et n'oublie pas un nom propre, de col, rivière, montagne ou lieux-dits : l'Arbre Sec, les Trois Cornes, le Gué Mauvais.

Un jour, il a une illumination. Tous, tous les voyageurs qui ont défilé chez lui, les menteurs, les bavards, les vantards, les hâbleurs, et même les plus taciturnes, tous ont employé un mot immense qui donne toute sa grandeur à leurs récits. Ceux qui en disent trop comme ceux qui n'en disent pas assez, les fanfarons, les peureux, les chasseurs, les outlaws, les trafiquants, les colons, les trappeurs, tous, tous, tous, tous parlent de l'Ouest, ne parlent en somme que de l'Ouest.

L'Ouest.

Mot mystérieux.

Qu'est-ce que l'Ouest?

Voici la notion qu'il en a.

De la vallée du Mississippi jusqu'au-delà des montagnes géantes, bien loin, bien loin, bien avant dans l'ouest, s'étendent des territoires immenses, des terres fertiles à l'infini, des steppes arides à l'infini. La prairie. La patrie des innombrables tribus peaux rouges et des grands troupeaux de bisons qui vont et viennent comme le flux de la mer.

Mais après, mais derrière?

Il y a des récits d'Indiens qui parlent d'un pays enchanté, de villes d'or, de femmes qui n'ont qu'un sein. Même les trappeurs qui descendent du nord avec leur chargement de fourrures ont entendu parler sous leur haute latitude, de ces pays merveilleux de l'ouest, où, disent-ils, les fruits sont d'or et d'argent.

L'Ouest? Qu'est-ce que c'est? qu'est-ce qu'il y a? Pourquoi y a-t-il tant d'hommes qui s'y rendent et qui n'en reviennent jamais? Ils sont tués par les Peaux Rouges; mais celui qui passe outre? Il meurt de soif; mais celui qui traverse les déserts? Il est arrêté par les montagnes; mais celui qui franchit le col? Où est-il? qu'a-t-il vu? Pourquoi y en a-t-il tant parmi ceux qui passent chez moi qui piquent directement au nord et qui, à peine dans la solitude, obliquent brusquement à l'ouest?

La plupart vont à Santa Fé, cette colonie mexicaine avancée dans les montagnes Rocheuses, mais ce ne sont que de vulgaires marchands que le gain facile attire et qui ne s'occupent jamais de ce qu'il y a plus loin.

Johann August Suter est un homme d'action.

Il bazarde sa ferme et réalise tout son avoir. Il achète trois wagons couverts, les remplit de marchandises, monte à cheval armé du fusil à deux coups. Il s'adjoint à une compagnie de trente-cinq marchands qui se rendent à Santa Fé, à plus de 800 lieues. Mais l'affaire était mal montée, l'organisation peu sérieuse et ses compagnons, des vauriens qui s'égaillèrent rapidement. Aussi bien Suter y aurait tout perdu, car la saison était trop avancée, s'il ne s'était établi parmi les Indiens de ces territoires, aux extrêmes confins du monde civilisé, troquant et trafiquant.

Et c'est là, chez ces Indiens, qu'il apprend l'existence d'un autre pays, s'étendant encore beaucoup plus loin à l'ouest, bien au-delà des montagnes

Rocheuses, au-delà des vastes déserts de sable.

Enfin il en sait le nom.

La Californie.

Mais pour se rendre dans ce pays, il doit s'en retourner en Missouri.

Il est hanté.

CHAPITRE III

8

Juin 1838, au Fort Independence, sur les frontières de l'État de Missouri, au bord du fleuve du même nom.

Les caravanes se préparent.

C'est un désordre fou d'animaux et de marchandises. On s'interpelle dans toutes les langues. Des Allemands, des Français, des Anglais, des Espagnols, des Indiens, des Nègres se bousculent affairés.

Les départs s'effectuent à cheval, en voiture, en longues théories de wagons couverts tirés par douze couples de bœufs. Certains partent seuls, d'autres en nombreuse compagnie. Les uns rentrent aux États-Unis, les autres en sortent, tirent au sud, vers Santa Fé, ou au nord, dans la direction du grand col qui franchit les montagnes.

Les pionniers qui s'en vont de l'avant, sans esprit

de retour, à la recherche de terres plus fertiles ou d'un coin qui sera leur nouvelle patrie, sont bien rares. La plupart de ces gens sont des marchands, des chasseurs ou des trappeurs qui s'équipent en vue des grands froids des pays de l'Hudson Bay. S'ils atteignent les rives des grands fleuves glacés qui n'ont pas encore de nom, mais où fourmillent les castors et les bêtes aux fourrures précieuses, ils reviendront dans trois ou sept ans; de même, les marchands reviendront l'année prochaine renouveler leur stock d'articles de traite. Aussi tous assistent au départ d'une petite troupe bien armée qui se compose de Johann August Suter, du capitaine Ermatinger, de cinq missionnaires et de trois femmes. La garnison du fort tire un feu de salve en leur honneur quand ils s'engagent sur la piste qui les mènera en extrême ouest, en Californie.

9

Durant les trois mois qu'il vient de passer à Fort Independence, Johann August Suter a mûri son plan.

Sa résolution est prise.

Il ira en Californie.

Il connaît la piste jusqu'à Fort Van Couver, le

dernier, et si certains renseignements qu'il a pu se procurer ne sont pas trompeurs, il saura continuer plus loin.

La Californie n'attire encore l'attention ni de l'Europe ni des États-Unis. C'est un pays d'une richesse incroyable. La république de Mexico s'est approprié les trésors accumulés durant des siècles dans les Missions. Il y a des terres, des prairies, des troupeaux innombrables qui sont à la merci d'un coup de main.

Il faut oser et réussir.

On peut s'en emparer.

Il est prêt.

10

La piste s'étend sur des milliers de lieues, flanquée, tous les cent milles, d'un fort en bois entouré d'une palissade. Les garnisons, munies même de canon, luttent avec les Peaux Rouges. C'est une guerre d'atrocités et d'horreurs. Il n'y a pas de pardon. Malheur à la petite troupe qui tombe entre les mains des sauvages ou dans l'embuscade dressée par les chasseurs de scalps.

Suter est tout décidé.

Il chevauche, en tête, monté sur son mustang « Wild Bill » et siffle un air du carnaval de Bâle, un air de fifre. Il pense au petit garçon de Rünenberg à qui il avait donné son dernier écu. Alors il arrête son cheval. Pile ou face? Et tandis que le doublon monte au ciel comme une alouette : pile, gagne; face, perd. C'est pile. Il réussira. Et il se remet en marche sans même avoir arrêté ses compagnons, mais plein d'une force nouvelle. Première et dernière hésitation. Maintenant, il ira jusqu'au bout.

Ses compagnons de route sont : le capitaine Ermatinger, un officier qui va relever le commandant du Fort Boisé; les cinq missionnaires, cinq Anglais envoyés par la Société biblique de Londres pour étudier les dialectes des tribus indiennes Cree, au nord de l'Orégon; les trois femmes, des blanches qui sont les trois femmes de ces sept hommes. Tous le quitteront en cours de route, Suter continuera seul, à moins qu'il ne continue seul avec les trois femmes.

11

La piste remonte la rive droite du Missouri, puis elle oblique à gauche et suit durant plus de quatre cents lieues, la rive occidentale du Nebraska; elle franchit les montagnes Rocheuses près du pic Frémont qui atteint 13 000 pieds, à peu de chose près la hauteur du Mont-Blanc. Nos voyageurs la suivent déjà depuis trois semaines. Ils ont traversé des solitudes toujours plates, des océans d'herbes où des orages quotidiens, d'une violence inouïe, éclatent soudainement sur le coup de midi pour ne durer qu'un quart d'heure, puis le ciel redevient serein, d'un bleu dur sur les franges vertes de l'horizon. Ils campent sous le croissant de la lune moucheté d'une belle étoile; inutile de songer au sommeil, des myriades d'insectes bourdonnent autour d'eux, des milliers de crapauds et de grenouilles saluent la lente éclosion des étoiles. Les coyotes jappent. C'est l'aube, l'heure magique des oiseaux, les deux notes invariables de la perdrix. On repart. La piste fuit sous les sabots rapides des montures. Le fusil au poing, on quête une proie possible. Des cerfs bondissent sur le chemin. Dans le prolongement du sentier, le soleil, semblable à une grosse orange, monte très vite vers le zénith.

Enfin, voici qu'ils ont atteint la grande faille du sud, l'Evans Pass. Ils sont sur le sommet de la muraille qui sépare les États-Unis des territoires de l'ouest, à la frontière, à 7 000 pieds au-dessus du niveau de la mer, à 960 lieues du Fort Independence.

Et maintenant, en avant!

La piste n'est plus frayée.

D'ici à l'embouchure de l'Orégon, sur le Pacifique, il y a encore quatorze cents lieues.

En avant, il n'y a plus de sentier.

Le 1er août, ils arrivent au Fort Hall. Le commandant veut les retenir. Les Peaux Rouges sont sur les sentiers de la guerre. Mais Suter veut partir. Ils ont déjà traversé les territoires de tant de tribus en guerre! Ils repartent le 4 août. Une escorte les accompagne trois jours.

Le 16 août, ils arrivent au Fort Boisé où il y a un grand comptoir de la Compagnie de l'Hudson Bay. Le capitaine Ermatinger les quitte là, il a rejoint son poste; deux femmes entrent au comptoir de la Compagnie. Ce qui reste de la petite troupe continue sa route à travers un pays infesté d'Indiens Kooyutt. Il y a eu une grande famine, les Indiens harponnent le saumon, bien que ça ne soit pas la saison de pêche; ils sont farouches et menaçants. Il y en a plein des canoës dans les rivières.

Suter et ses compagnons traversent la région des grandes forêts de pins géants et arrivent, fin septembre, à Fort Van Couver, qui est un grand centre de pelleterie. Les missionnaires sont rendus. La dernière femme est morte en route de privations.

Suter reste seul.

12

Un homme décidé est toujours bien reçu dans ce poste perdu à l'extrême bout du continent américain et Suter n'a pas froid aux yeux. On lui fait des propositions avantageuses; mais, lui, les refuse toutes, en proie à son idée fixe.

Il veut aller en Californie.

Et, aujourd'hui, si près du but, il se trouve encore une fois en face d'obstacles censément infranchissables.

L'avis des hommes du poste est unanime. Le voyage par terre est impossible. Les Indiens Apaches sont en pleine ébullition. Dernièrement encore ils ont massacré des chasseurs d'ours qui s'étaient risqués dans les hautes vallées des Cascades. Il n'y a qu'une seule voie pour se rendre en Californie, c'est la voie de la mer. Mais il n'y a pas de bateau, et la navigation est difficile dans des parages toujours périlleux. Il est vrai qu'un voilier pourrait s'y rendre en trois semaines.

Suter n'en écoute pas davantage. Il se rend au bord de l'eau. Un trois-mâts-barque est embossé dans la rivière. C'est le *Columbia* qui se rend aux îles Sandwich. Tous les chemins mènent à Rome, aurait dit le père Haberposch. Suter s'entend avec le patron, négocie son passage, et, le 8 novembre, quand le *Columbia* appareille, il est en train d'installer sa cahute sur le pont.

CHAPITRE IV

13

Suter plante un clou pour y suspendre son hamac d'écorce. Comme il se dresse sur la pointe des pieds et fait un effort, son pantalon se tend et il perd un bouton de sa brayette. C'est un bouton de cuivre qui roule sur le deck. Aussitôt un affreux chien jaune se précipite et le lui rapporte. C'est Beppo, Beppino, une espèce de chien mouton, le chien de Maria, la femme morte d'épuisement sous les séquoias de la Snake River, dans l'Idaho. Maria était Napolitaine. C'est tout ce que Suter a gagné en quatre années d'Amérique que ce faux chien de cirque qui fait des tours et fume la pipe avec les matelots.

Cette longue traversée est sans histoire.

Toutes les voiles sont hissées et l'on fait route vers le sud-sud-ouest.

Le 30 novembre, vers cinq heures du soir, le coucher du soleil est d'un gris inquiétant que viennent assombrir encore de gros nuages noirs; mais le lendemain matin, le temps s'est remis au beau et l'on hisse le tourmentin et la trinquette.

Le 4 décembre, au petit jour, le vent est rageur, la mer est grosse. A huit heures la tempête augmente encore d'intensité. La mer de plus en plus grosse submerge constamment le pont mal calfaté. L'eau pénètre dans la cambuse et abîme les vivres emmagasinés, caisses de biscuits, pommes de terre, sacs de riz, de sucre, de blé noir, morue et bacon qui représentent trois mois de provisions. Les huit hommes de l'équipage restent toute la journée et la nuit suivante à leur poste. Au jour, on consolide les réparations provisoires faites dans les ténèbres. Il y a plusieurs avaries. Les bittes ou pièces de bois verticales tenant le beaupré ont été arrachées au ras du pont. On installe au moyen de palans des étais de fortune et le beaupré est amarré aussi solidement que possible. A onze heures du soir, le deuxième jour, le vent tombe et saute brusquement au nord-est, apportant bientôt un fort grain et de la pluie. On amène les voiles et on change d'amures. Les grains se succèdent toute la nuit.

Le 7 janvier, pas d'incidents, sauf le passage d'un cachalot vers le soir. Des bonites et des dorades sautent autour du navire. Les vagues ne sont pas excessivement hautes, mais la mer est très dure, car les vagues viennent de deux directions différentes et brisent constamment à bord. Tout le monde est trempé.

Le 11 février, on aperçoit de nombreuses sargasses autour du bateau.

Le 27, on est dans la région du calme plat; mais le

Columbia fait eau et tout le monde est à la pompe. De nombreux poissons volants viennent s'échouer sur le pont. Pomper est un travail très dur. L'eau entre par l'avant, éteignant les réchauds. Un fort courant déporte à l'est.

Le 5 mars, on est de nouveau en panne. Tout le monde est sur le pont. Il fait un bon soleil. La voie d'eau est enfin aveuglée. L'équipage est content, il prépare des bâches pour recueillir la pluie qu'on attend pour le soir. On est sans eau potable à bord, impossible de tremper la tambouille.

Un lascar raconte : « Je n'ai jamais vu nulle part la population de couleur se revêtir d'une façon aussi recherchée qu'à Para. Les négresses et les mulâtresses se font des échafaudages d'une grande dimension, en se plantant des grands peignes d'écaille dans leur laine frisée, et des fleurs, et des plumes. Elles portent toutes des robes décolletées à longue traîne et toujours de couleurs brillantes. Dans ce pays c'est toujours fête. Les... »

Suter est dans son hamac. Son chien fume. A ses pieds on joue maintenant au trictrac, les bâches sont terminées. Un jeune mousse enthousiaste balance le hamac.

A minuit tombe la pluie bienfaisante et l'on repart dans les vents sucrés. Un peu plus tard on passe entre les îles. Comme la lune est pleine, Suter peut contempler de sa balançoire des végétations de palmiers et des lataniers en fleur.

Suter est enchanté de son voyage.

De grands projets se forment en lui. Certes non il n'a pas perdu son temps et il a appris des tas de choses pour ce qui le concerne. Il a fait parler l'équipage et le patron. Il a maintenant des vues sur les mœurs et les habitudes de la Californie, les ressources et les besoins de ce mystérieux pays, car ces rudes marins y ont déjà embarqué maintes et maintes cargaisons de planches, de peaux, de talc. Mais dans leur esprit, les deux rives du Pacifique ne font qu'un tout; eux font aussi bien commerce avec les Indiens américains qu'avec les indigènes des Iles; ils ont eu aussi souvent affaire avec les missionnaires espagnols de Monterey qu'avec les missionnaires américains d'Honolulu. Suter commence à concevoir l'avenir prodigieux de cette vaste partie du globe encore inexploitée. Ses plans et ses idées se précisent en s'agrandissant. Cela dépasse tout ce qu'il a pu imaginer et pourtant cela est possible. Réalisable. Il y a une belle place à prendre. Un coup d'État. Il en a le goût, et a la force de risquer une telle entreprise.

En attendant, il débarque petitement dans la capitale, Honolulu, et présente à la factorie les lettres de recommandations qui lui ont été données par les fonctionnaires de la Compagnie de l'Hudson Bay, à Fort Van Couver.

Ici aussi il est très bien accueilli.

14

Honolulu est une capitale très animée.

Le fond de la population se compose essentiellement d'aventuriers maritimes, surtout des déserteurs des flotilles de baleiniers. Naturellement, toutes les races du monde y sont représentées, mais l'élément basque et l'élément yankee dominent. Tous les milieux adoptent Suter d'enthousiasme et il a la chance de rencontrer quelques vieilles connaissances de New York. En leur compagnie maintenant, il prend part à quelques spéculations sur les cargaisons de copra, de nacre ou d'écaille amarrées au large et il est assez heureux pour gagner rapidement une petite fortune.

C'est à cette époque que lui vint l'idée d'employer dans ses plantations futures la main-d'œuvre canaque. Il faudra des bras pour exploiter la Californie et défricher les immenses territoires de l'ouest américain. L'Afrique est par trop loin et la traite commence à être trop réglementée dans l'Atlantique. Il n'y a plus de bénéfice possible. Il est d'ailleurs amusant de déjouer la réglementation internationale, et d'éviter le droit de visite réciproque des navires en installant la traite dans des parages insoupçonnés. On embarquera de force les populations des Iles. Le Pacifique doit se suffire.

Il s'ouvre de cette idée à ses associés, auxquels il a déjà touché deux, trois mots sur ses projets californiens et laissé entendre de grandes choses. Le soir même, dans une taverne, on signe l'acte de constitution de la Suter's Pacific Trade C°, dont le pavillon est une crosse d'évêque noire, sommée de sept points rouges sur fond blanc. Pour sa part, Suter verse 75 000 florins hollandais. Les premiers arrivages de Canaques doivent avoir lieu dans dix-huit mois au plus tard et débarquer dans une baie californienne que Suter indique confidentiellement. Dans les actes, il désigne ses futures possessions sous la dénomination de la Nouvelle-Helvétie.

Les conventions signées, c'est une orgie de rhum.

Cette affaire faite, il faut songer au départ, et ça n'est pas chose facile.

Suter est pressé.

15

Il n'y avait aucun navire sur rade qui fît les ports mexicains ou qui voulût le conduire à San Diego.

Il n'y avait qu'un Russe prêt à appareiller pour Sitka, établissement russe sur la côte américaine, là-haut, dans l'extrême nord du Pacifique.

Les Russes, rayonnant du Kamtchatka, faisaient de nombreux établissements sur la côte de l'Amérique. Étendant toujours plus leur empire, ils se heurtaient à l'est à la puissance grandissante des États-Unis; mais au sud, ils atteignaient déjà les côtes mexicaines où ils avaient de nombreuses colonies. De Sitka au Mexique des goélettes russes faisaient la traversée régulièrement.

Suter n'hésite pas, il embarque pour remonter jusqu'aux Aléoutes. D'ailleurs, il s'entend très bien avec les Russes; il se crée des relations et s'assure des appuis. Mais il ne s'éternise pas à Sitka. Il est du premier départ.

A bord d'une rapide goélette, il longe maintenant les côtes d'Alaska dans la direction du sud, traverse ces mers qui sont le rendez-vous de pêche des baleiniers, passe cette fois bien au large de l'embouchure de l'Orégon, descend toujours et débarque sur la plage perdue de San Francisco.

Suter est seul sur le rivage. Les hautes lames du Pacifique viennent mourir à ses pieds. Le voilier qui l'a jeté là disparaît déjà, cinglant sur Monterey. Les lignes parallèles des flots écumeux se succèdent avec lenteur. A quelque distance de la mer les sables ont une couleur grisâtre, sans cesse battus par les vagues, ils sont parfaitement unis, d'une consistance très solide et offrent au voyageur un chemin très commode auquel n'a jamais contribué le travail de l'homme et qui s'étend à perte de vue. Une plante à longues tiges rampantes est tout ce qui croît çà et là. D'innombrables mouettes sont rangées immobiles au bord de la mer et attendent le flot qui va leur apporter leur nourriture. D'autres, dont il ne sait pas le nom, la tête en avant, placée sur la même ligne que le dos, courent sur la plage avec une extrême rapidité. Des hirondelles de mer viennent se poser pour reprendre immédiatement leur vol. Des oiseaux noirs, qui vont toujours par couple, font les cent pas. Il y a aussi un gros oiseau au plumage d'un gris foncé mêlé d'une couleur plus pâle, son bec paraît être celui d'un aigle, il a derrière la tête une longue aigrette horizontale.

Quand Suter se met à marcher, il écrase un grand nombre de mollusques vésiculeux couleur de rose et qui éclatent avec bruit.

CHAPITRE V

16

Depuis sa découverte, la Californie avait toujours été rattachée à la couronne d'Espagne. Elle formait une des provinces du vice-royaume espagnol de Mexico. Personne ne connaissait au juste son étendue ni sa configuration. En 1828, lorsqu'il fallut enfin donner une frontière nord à cet immense pays, on traça sur un atlas une ligne droite perpendiculaire à l'océan, partant de la hauteur du cap de Mendocino et aboutissant à L'Evans Pass, la grande faille sud des montagnes Rocheuses, une ligne droite de plus de quatorze cents lieues.

La Basse-Californie forme une presqu'île bien connue qui s'avance dans la Mer Vermeille, c'est un pays ingrat, à peine peuplé; quant à la Haute-Californie, plus au nord, c'est un pays à peine exploré.

On sait qu'une chaîne montagneuse s'étire tout le long de la côte; que derrière, il y en a une deuxième, un peu plus haute, et qui se déroule également du nord au sud; et que derrière celle-là, il y en a encore une troisième, parallèle aux deux précédentes, la Sierra Nevada, aux montagnes épouvantables. Les vallées entre ces trois chaînes de montagnes sont en partie de vastes plaines. Derrière la Sierra, s'étend le grand désert californien jusqu'aux limites du Grand Bassin, et derrière le Grand Lac Salé, recommencent la prairie et les steppes.

En 1839, ce double pays forme une province de la république de Mexico. Il est administré par le gouverneur Alvarado. Le siège du Gouvernement est à Monterey, sur le continent. Il y a à peu près 35 000 habitants, dont 5 000 blancs et une trentaine de mille d'Indiens.

17

Imaginez une bande de terre allant de Londres aux oasis du Sahara ou de Saint-Pétersbourg à Constantinople. Cette bande de terre est toute en littoral. Elle est d'une superficie sensiblement supérieure à celle de la France. Le nord est exposé aux hivers les plus rigoureux, le sud est tropical. Un goulet long et profond qui coupe deux chaînes de montagnes et divise cette bande de terre exactement en deux parties égales, met un grand lac intérieur en communication avec la mer. Ce lac peut abriter toutes les flottes du monde. Deux fleuves majestueux, qui ont arrosé les pays de l'Hinterland au nord et au sud, viennent s'y jeter. Ce sont le Sacramento et le Joachim. C'est tout ce que nous voulons retenir de cette immense Californie et c'est le grossier croquis que Suter consulte dans son carnet.

Il vient de remonter le chenal à la pagaie et de traverser le lac dans une petite pirogue à voile triangulaire.

Il met pied à terre devant le poste misérable de la Mission. Un franciscain miné de fièvre se porte à sa rencontre.

Il est à San Francisco.

Des huttes de pêcheurs en terre battue. Des cochons bleus qui se vautrent au soleil, des truies maigres avec des douzaines de petits.

Voilà ce que Johann August Suter vient conquérir.

18

Le moment est particulièrement bien choisi.

Tout en étant à l'écart du centre politique du monde et en dehors de l'actualité historique, au début du XIXe siècle, le pays californien venait de traverser une série de crises aiguës. Ce qui bouleverse la métropole durant huit jours a souvent, dans les pays perdus aux confins du monde, des répercussions terribles, des conséquences capitales qui transforment de fond en comble l'ancien ordre établi ou la fragile vie civique à peine éclose.

La situation de la Californie était des plus précaires. Son existence même était en jeu.

Les établissements des Missions, que les jésuites avaient édifiés sur tout le territoire de la Vieille-Californie comme dans tous les pays d'outre-mer, n'avaient pu résister à la déconfiture générale de l'ordre en 1767 et ils étaient passés entre les mains des franciscains. Ceux-ci avaient entrepris la colonisation de la Nouvelle-Californie où les Jésuites n'avaient jamais pénétré.

Petit à petit, tout en remontant la côte, les *Padres* s'étaient fixés en dix-huit postes qui n'étaient que de simples colonisations au début, mais qui, en quelques années, étaient devenus d'importants domaines entourés de riches villages.

L'organisation en était partout la même et calquée sur un seul modèle.

San Luis Rey, la plus importante de ces colonies, se composait d'un ensemble de bâtiments disposés en carré. Chaque façade avait 450 pieds de longueur. L'église tenait un des côtés à elle seule, la maison d'habitation, la ferme et toutes ses dépendances, écuries, étables, granges, resserres, ateliers occupaient les trois autres côtés. A l'intérieur, une cour plantée de sycomores et d'arbres fruitiers. Au milieu de la cour, une fontaine monumentale ou un grand jet d'eau. L'infirmerie était dans un des coins les plus retirés. Deux capucins avaient la responsabilité des soins domestiques, les autres s'occupaient de l'école, des ateliers, des magasins, hébergeaient les voyageurs. Les jeunes filles indiennes étaient sous la surveillance des matrones indiennes; on leur apprenait à tisser des étoffes de laine, de lin ou de coton; elles ne quittaient la Mission qu'au moment du mariage. Les jeunes gens les plus doués apprenaient la musique et le chant; les autres, un métier manuel ou l'agriculture.

Les Indiens étaient divisés en brigades, sous la conduite d'un de leurs chefs. Le matin à 4 heures on sonnait l'Angélus et tout le monde assistait à la messe. Après un frugal déjeuner, on se rendait aux champs.

De 11 heures à 2 heures, repas en plein air et repos. Au coucher du soleil, nouvel office religieux auquel chacun était tenu d'assister, même les malades; puis l'on soupait, et ensuite on chantait et dansait, et souvent fort avant dans la nuit. La nourriture se composait de viande de bœuf ou de mouton, de farineux, de légumes verts; on ne buvait que de l'eau. Le costume des hommes se composait d'une longue chemise de lin, de pantalons de coton et d'un long manteau de laine; les femmes recevaient deux chemises par an, une jupe et un manteau. L'alcade et les autres chefs indigènes étaient habillés comme les Espagnols.

Après la vente et l'embarquement de leurs produits – peaux, talc, céréales – sur les navires étrangers, les Pères distribuaient aux Indiens des livres, des pièces de vêtements, du tabac, des rosaires, des bijoux de pacotille. Une autre partie du revenu était consacrée à l'embellissement de l'église, à l'achat de tableaux, de statues et de précieux instruments de musique. Un quart de la récolte était mis en réserve.

Les champs ensemencés s'étendaient d'année en année. Les Indiens construisaient des ponts, des routes, des canaux, des moulins sous la direction des moines ou travaillaient dans les différents ateliers : maréchalerie, serrurerie, bourrellerie, teinturerie, officine de couture, sellerie, charpenterie, poterie, tuilerie.

D'autres installations voyaient peu à peu le jour tout autour de la maison mère; des défrichements, des fermes, de petites plantations que l'on confiait aux soins d'un Indien particulièrement digne. En 1824, la Mission de San Antonio comptait ainsi 1 400 Indiens qui possédaient entre eux 12 000 têtes de bétail, 2 000 chevaux, 14 000 moutons. Les Pères, eux, avaient fait vœu de pauvreté, ils ne possédaient rien en propre, ils se considéraient comme les administrateurs et les tuteurs des Indiens.

Puis, vint la république de Mexico. En 1832, les établissements religieux et leurs colonies sont déclarés propriétés de l'État. On promet une pension aux moines, mais elle n'est jamais payée. Et c'est un beau pillage! Des généraux et des tyranneaux politiques s'adjugent les plus riches domaines, et les Indiens, dépouillés de tout, maltraités, misérables, se retirent dans les solitudes et dans la brousse. Le bien-être et la fortune publique sombrent rapidement. En 1838 déjà, on ne compte plus que 4 450 salariés sur 30 650 Indiens qui travaillaient librement dans les Missions; les troupeaux tombent de 420 000 bêtes à cornes à 28 220; les chevaux de 62 500 à 3 800; les moutons, de 321 500 à 31 600. Le Gouvernement fait alors un dernier effort pour rétablir l'ancienne richesse et prospérité. Il donne des terres aux Indiens, des droits civiques, les nomme citoyens d'une libre république. Mais il est trop tard. Le mal est fait. Les établissements des Missions se sont transformés en distilleries d'eau-de-vie.

C'est en ce moment que Suter débarque.

Et il intervient.

CHAPITRE VI

19

Sa première sortie à cheval a mené Suter dans la vallée du Sacramento. L'incroyable fertilité du sol et la végétation luxuriante lui font choisir ces cantons. Au retour de cette randonnée, il apprend que le premier convoi de Canaques vient de débarquer. Il y en a 150 et ils sont installés dans le hameau de Yerba Buena, au fond de la baie de San Francisco. Dix-neuf Blancs les accompagnent, des gais lurons, solides et prêts à tout, embauchés par les associés d'Honolulu. Suter les passe en revue, ils sont armés jusqu'aux dents.

Aussitôt Suter fait le voyage de Monterey. Il s'y rend par terre d'une traite, chevauchant jour et nuit.

Johann August Suter se présente au gouverneur Alvarado. Il lui annonce qu'il a l'intention de s'établir dans le pays. Ses Canaques défricheront la terre. Sa petite troupe armée établira un cordon de surveillance pour empêcher les incursions des tribus complètement sauvages du nord. Il a l'intention de réunir les anciens Indiens des Missions, de leur distribuer des terres et de les faire travailler sous sa direction.

– D'autres bateaux, dit-il, viendront encore d'Honolulu où j'ai constitué une puissante compagnie. De nouveaux convois de Canaques débarqueront dans la baie que j'ai choisie et des équipes d'hommes blancs arriveront encore, des hommes à ma solde. Laissez-moi faire, je me propose de relever le pays.

– Et où voulez-vous vous établir? lui demande le gouverneur.

– Dans la vallée du Sacramento, à l'embouchure du Rio de los Americanos.

– Comment appellerez-vous votre ranch?

– *La Nouvelle-Helvétie.*

– Pourquoi?

– Je suis Suisse et républicain.

– Bon. Faites ce que vous voulez. Je vous accorde une première concession de dix ans.

20

Suter et sa troupe remontent la vallée du Sacramento.

En tête naviguent trois ex-baleiniers qui sont encore en tenue de marins et qui ont à bord une petite pièce de canon. Puis viennent les cent cinquante Canaques vêtus d'une courte chemise à raies transversales qui leur descend jusqu'aux genoux. Ils se sont fait d'étranges petits chapeaux pointus avec les feuilles des tulipiers. Sur la rive et dans les marais, suivent trente wagons chargés de vivres, de semences, de munitions, une cinquantaine de chevaux, 75 mulets, 5 taureaux, 200 vaches, 5 troupeaux de moutons. L'arrière-garde, à cheval ou en canoë, le rifle en bandoulière, le chapeau de cuir sur l'oreille, est en serre-file et pousse tout le monde dans les mauvais pas.

21

Six semaines plus tard, la vallée offre un spectacle hallucinant. Le feu est passé là, le feu qui a couvé sous la fumée âcre et basse des fougères et des arbrisseaux. Puis le feu a jailli comme une torche, haute, droite, implacable, d'un seul coup. De tous les côtés se dressent maintenant des moignons fumants, l'écorce tordue, les branches éclatées. Les grands solitaires sont encore debout, fendus, roussis par la flamme.

Et l'on travaille.

Les bœufs vont et viennent. Les mulets sont à la charrue. Les semences volent. On n'a même pas le temps d'arracher les souches noircies et les sillons les contournent. Les bêtes à cornes pataugent déjà dans les prairies marécageuses, les moutons sont sur les collines, les chevaux paissent dans un enclos entouré d'épines. Au confluent des deux rivières on élève des terrassements et le ranch s'édifie. Des arbres à peine équarris, des planches de six pouces d'épaisseur entrent dans sa construction. Tout est solide, grand, vaste, conçu pour l'avenir. Les bâtiments s'alignent, granges, magasins, réserves. Les ateliers sont au bord de l'eau; le village canaque dans une ravine.

Suter s'occupe de tout, dirige tout, surveille l'exécution des travaux jusque dans leurs moindres détails, il est sur tous les chantiers à la fois et n'hésite pas à donner personnellement un coup de main quand un homme fait défaut dans telle ou telle équipe. Des ponts sont jetés, des pistes tracées, des marais desséchés, des étangs creusés, un puits, des abreuvoirs, des canalisations d'eau. Une première palissade protège déjà la ferme; un fortin est prévu. Des émissaires parcourent les villages indiens, et 250 anciens protégés des Missions sont occupés dans les différents travaux avec leurs femmes et leurs enfants. Tous les trois mois arrivent de nouveaux convois de Canaques et les terres cultivées s'étendent à perte de vue. Une trentaine de Blancs établis dans le pays sont venus se mettre à son service. Ce sont des Mormons. Suter les paie trois piastres par jour.

Et la prospérité ne tarde pas.

4 000 bœufs, 1 200 vaches, 1 500 chevaux et mulets, 12 000 moutons s'égaillent autour de la Nouvelle-Helvétie, à quelques journées de marche à la ronde. Les moissons rapportent du 530 % et les greniers sont pleins à crever.

Dès la fin de la deuxième année, Suter achète aux Russes qui se retirent les belles fermes sur la côte, près de Fort Bodega. Il les paie 40 000 dollars comptant. Il se propose d'y faire de l'élevage en grand et, particulièrement, d'y améliorer la race bovine.

22

Si dans ces sortes de colonisations on arrive assez facilement à vaincre les difficultés d'ordre matériel qui se présentent chaque jour et à imposer par un travail acharné et une volonté de fer, dûment outillés, un ordre nouveau aux lois séculaires de la nature, au point de transformer pour toujours l'aspect d'un pays vierge et la climatologie d'une contrée, il n'est pas aussi aisé de maîtriser l'élément humain.

La situation de Johann August Suter est tout à fait caractéristique à ce point de vue.

Au moment de l'arrivée de Suter, la Californie se trouvait à la veille d'une révolution. A Mexico même venait de se constituer la *Compañia cosmopolitana,* dont le but avoué était de piller ce qui restait dans ce malheureux pays des établissements des Missions. De puissants commanditaires politiques venaient d'embarquer 200 aventuriers pour les jeter dans cette province naguère encore si prospère. Pendant que ceux-ci étaient en mer, Santa Anna renversa le président Farias et envoya d'urgence un courrier, *via* Sonora, apportant des ordres très stricts au gouverneur Alvarado de s'opposer vivement au débarquement de ces lascars. La bande fut dissoute en face de San Diego, entre le Pacifique et la Baie, et ceux de ses membres qui purent en réchapper infestèrent le pays, se livrant au brigandage. Deux clans se formèrent et les partisans mettaient le pays à feu et à sang. Suter eut la sagesse de ne pas intervenir et l'habileté de se créer des accointances dans les deux factions. D'autre part, des chasseurs, des trappeurs, des coureurs de bois, tous de nationalité américaine, avaient pénétré, par infiltration, jusqu'au cœur du pays. Ils formaient un petit noyau très remuant qui voulait rattacher la Californie à l'Union. Ici aussi Suter sut manœuvrer et ne pas se compromettre; car si les Américains bénéficiaient secrètement de son appui (il envoyait semestriellement un courrier par-delà les montagnes qui portait ses rapports à Saint-Louis; un de ses messagers se présenta même à Washington pour soumettre un plan de conquête : Suter demandait à prendre le commandement des troupes et exigeait la moitié des territoires conquis), aux yeux des Mexicains, sa conduite héroïque sur la frontière où il s'opposait avec énergie aux incursions perpétuelles des tribus sauvages, le faisait passer pour un si fidèle allié que le Gouvernement le nomma Gardien de la frontière nord avec le grade de capitaine et, pour le récompenser de ses services, Alvarado lui fit don de onze heures carrées de terre, une étendue aussi vaste que sa petite patrie bâloise.

Les Indiens étaient le plus gros souci de Suter.

Les tribus sauvages du Haut-Sacramento voyaient son établissement d'un mauvais œil. Ces terres cultivées, ces labours, ces troupeaux, ces fermes, ces bâtiments qui surgissaient de toutes parts, cette colonie prospère qui allait s'élargissant, empiétaient sur leurs territoires de chasse. Ils avaient pris les armes, incendiaient nuitamment les meules et les granges, assassinaient en plein jour les bergers isolés et razziaient le bétail. Les rencontres armées étaient fréquentes, on échangeait des coups de feu et pas un jour ne se passait sans qu'on ramenât à la ferme un homme mort, cadavre de bûcheron scalpé, planteur odieusement mutilé, milicien tombé la face en avant. Jamais Suter ne se félicita autant de l'idée qu'il avait eue d'importer de la main-d'œuvre canaque, que durant ces deux premières années de coups de main incessants. Sans elle, il n'aurait jamais pu aboutir.

Il y avait 6 villages d'insulaires.

23

Malgré les luttes, les batailles, les complications politiques, l'état de révolution latente, les assassinats, les incendies, Johann August Suter réalisait son plan méthodiquement.

La Nouvelle-Helvétie prenait tournure.

Les maisons d'habitation, la ferme, les principaux bâtiments, les réserves de grains, les dépôts étaient maintenant entourés d'un mur de cinq pieds d'épaisseur et de douze pieds de haut. A chaque angle s'élevait un bastion rectangulaire muni de trois canons. Six autres pièces défendaient l'entrée principale. La garnison permanente était de 100 hommes. En outre, des patrouilles et des rondes parcouraient toute l'année l'immense domaine. Les hommes de troupe, racolés dans les bars d'Honolulu, étaient mariés à des femmes californiennes qui les accompagnaient dans tous leurs déplacements, portant le bagage, pilant le maïs et fabriquant les balles et les cartouches. En cas de danger tout ce monde se rabattait sur le fortin et venait renforcer la garnison. Deux petits bateaux armés de canons étaient à l'ancre devant le fort, prêts à remonter soit le Rio de los Americanos, soit le Sacramento.

Les directeurs des moulins, des scieries où se débitaient les arbres géants du pays, des innombrables ateliers, étaient pour la plupart des charpentiers de bord, des timoniers ou des maîtres d'équipage que l'on faisait déserter des voiliers en escale sur la côte en leur promettant une solde de cinq piastres par jour.

Il n'était pas rare de voir des Blancs venir se présenter à la ferme, attirés par la renommée et la prospérité de l'établissement. C'étaient de pauvres colons qui n'avaient pas su réussir seuls, principalement des Russes, des Irlandais, des Allemands. Suter leur distribuait des terres ou les employait selon leurs capacités.

Des chevaux, des peaux, du talc, du froment, de la farine, du maïs, de la viande séchée, du fromage, du beurre, des planches, du saumon fumé étaient journellement embarqués. Suter expédiait ses produits à Van Couver, à Sitka, aux îles Sandwich, et dans tous les ports mexicains et sud-américains; mais il approvisionnait surtout les nombreux navires qui venaient maintenant jeter l'ancre dans la baie.

C'est dans cet état de prospérité et d'activité que le capitaine Frémont trouva la Nouvelle-Helvétie quand il descendit des montagnes après sa mémorable traversée de la Sierra Nevada.

Suter s'était porté à sa rencontre avec une escorte de 25 hommes splendidement équipés. Les bêtes étaient des étalons. L'uniforme des cavaliers, d'un drap vert sombre relevé d'un passepoil jaune. Le chapeau incliné sur l'oreille, les gars avaient l'allure martiale. Ils étaient tous jeunes, vigoureux, bien disciplinés.

D'innombrables troupeaux paissaient dans les grasses prairies, des bêtes de choix. Les vergers regorgeaient de fruits. Dans les potagers, les légumes du vieux monde voisinaient avec ceux des contrées tropicales. Partout des fontaines et des canaux. Les villages canaques étaient propres. Tout le monde était à son travail. Il régnait partout le plus bel ordre. Des allées de magnolias, de palmiers, de bananiers, de camphriers, d'orangers, de citronniers, de poivriers, traversaient les vastes cultures pour converger vers la ferme. Les murs de l'hacienda disparaissaient sous les bougainvillers, les roses grimpantes, les géraniums charnus. Un rideau de jasmin tombait devant la porte du maître.

La table était splendide. Hors-d'œuvre; truites et saumons des rivières du pays; jambon rôti à l'écossaise; ramiers, cuissot de chevreuil, pattes d'ours;

langue fumée; cochon de lait farci à la rissole et saupoudré de farine de tapioca; légumes verts, choux palmistes, gombos en salade; tous les fruits, nature et confits; des montagnes de pâtisserie. Des vins du Rhin et quelques vieilles bouteilles de France qui avaient fait le tour du monde sans s'éventer tellement on en avait pris soin. Le service était fait par des jeunes femmes des Iles et des jeunes métisses indiennes qui apportaient les plats enveloppés dans des serviettes d'une blancheur impeccable. Elles allaient et venaient avec un sérieux imperturbable, tandis qu'un orchestre hawaïen jouait des airs barbares, la *Marche de Berne* avec des coups de pouce donnés sur le dos des guitares, la *Marseillaise* avec des sonorités de clairon dans les cordes. La vaisselle était de la vieille argenterie castillane, lourde, plate, frappée aux armes royales.

Suter présidait, entouré de ses collaborateurs. Parmi les convives était le gouverneur Alvarado.

24

Suter était accrédité auprès des plus importantes maisons de banque des États-Unis et de la Grande-

Bretagne. Il faisait d'importants achats de matériel, d'outillage, d'armes, de munitions, de semences, de plants. Les transports faisaient des milliers et des milliers de lieues par voie de terre ou venaient par mer, après avoir contourné le cap Horn. (On parla durant 25 ans dans les ranchs de l'intérieur d'un chariot traîné par 60 couples de bœufs blancs qui traversa sous bonne escorte tout le continent américain dans sa plus grande largeur; après avoir franchi les prairies, les savanes, les rivières, les gués, le défilé des Rocheuses et le désert aux cactus-candélabres géants, il finit par arriver à bon port avec son chargement, se composant de la chaudière et de la machinerie du premier moulin à vapeur construit aux États-Unis. Comme on le verra par la suite, il eût mieux valu pour Johann August Suter, alors au faîte de la réussite, de la richesse et de la grandeur, que ce chariot n'arrivât pas, qu'il coulât à pic au fond d'une rivière, qu'il s'embourbât à jamais dans une fondrière, qu'il versât dans un précipice de la montagne ou que ses nombreux attelages de bœufs fussent décimés par une épidémie.)

25

Cependant les événements politiques se précipitaient.

Si Suter était maintenant un homme écouté et de bon conseil, il était loin d'être à l'abri des contingences. Au contraire. Les révolutions se succédaient. La lutte des partis était plus aiguë que jamais. Tous voulaient l'avoir de leur côté, tant à cause de son ascendant moral que pour sa situation sociale. Au fond, chaque camp escomptait l'appoint de la petite armée de la Nouvelle-Helvétie. Jamais Suter ne se laissa entraîner dans ces luttes intestines; et s'il fut plus d'une fois sur le point de voir ses acréages envahis, ses moissons incendiées, ses troupeaux dissipés, ses magasins et ses réserves pillés par les hordes hurlantes qui venaient de tout détruire à des centaines de lieues à la ronde et que tant de richesses bien ordonnées excitaient, il sut toujours se tirer de ces mauvais pas, grâce à cette profonde connaissance du cœur humain, acquise durant ses années de misère à New York, qui, au moment d'un danger pressant, lui aiguisait l'esprit, le flair et la dialectique. Il était alors d'une rare perspicacité, ne commettait jamais d'impair, louvoyait, promettait tout ce que l'on voulait, soudoyait audacieusement les chefs au bon moment, abreuvait les hommes de beaux discours et d'alcools. Comme dernier argument, il était décidé à avoir recours au sort des armes; mais ce n'est pas tant une victoire militaire qu'il désirait (la force était de son côté) que de sauvegarder son œuvre, son travail, ne pas voir détruire ce qu'il venait à peine d'édifier. Malgré tout, il fut souvent sur le point de tout perdre en un seul jour.

Il était toujours en relations avec les États-Unis, et c'est justement ce côté-là, le cabinet de Washington, qui lui fit courir les plus grands dangers.

Déjà en 1841, le capitaine Graham, à la tête de 46 aventuriers anglais et américains, espérait, par un hardi coup de main, s'emparer du pouvoir et proclamer l'indépendance de la Californie. Mais Alvarado avait eu vent de l'affaire; il surprend les conjurés, en massacre plus de la moitié, jette les autres en prison. Aussitôt Londres et Washington se saisissent de l'incident et réclament des indemnités pour le meurtre de leurs concitoyens. Londres demande 20 000 piastres et les États-Unis 129 200 piastres pour quinze riflemen. Une corvette anglaise s'embosse devant la Vera Cruz. Le Mexique est forcé de s'exécuter.

Au printemps 1842, la révolte du moine dominicain Gabriel est noyée dans le sang.

En octobre 1843, plus de cent Américains arrivent,

à la fois, venant de Santa Fé, et Alvarado, que son despotisme a rendu impopulaire et qui craint de nouveaux troubles, demande du secours à Mexico. Le président et dictateur Santa Anna envoie 300 galériens par la mer. Il leur a promis des terres, des outils, du bétail et leur réhabilitation s'ils arrivent à bouter les Américains dehors. En même temps il nomme un nouveau gouverneur de la Californie, le général Manuel Michel-Torena. Ce général est un honnête homme, il est plein de bonnes intentions, mais il ne peut rien pour maintenir la puissance mexicaine qui s'effrite. Il choisit ses quartiers de préférence dans les anciens établissements des Missions, à Los Angeles, à Santa Clara. Il vient souvent à la Nouvelle-Helvétie prendre conseil; mais Suter, de son côté, fait face à la suprême incursion des sauvages irréductibles. C'est la grande tuerie.

Cinq années s'écoulent encore de luttes, de pronunciamientos, de troubles et de révolutions fomentés surtout par le cabinet de Washington, puis c'est la guerre avec le Mexique et la rétrocession aux États-Unis du Texas et de la Californie.

Suter a encore obtenu vingt-deux heures carrées de terre du dernier gouverneur mexicain.

Il a le plus grand domaine des États.

26

Enfin, c'est la paix.

Une nouvelle ère commence.

Johann August Suter va enfin pouvoir jouir et se réjouir de ses richesses.

De nouvelles semailles arrivent d'Europe, des plants de tous les arbres fruitiers. Dans les bas-fonds, il acclimate l'olivier et le figuier; sur les collines, les pommiers et les poiriers. Il commence les premières plantations de coton et, sur les rives du Sacramento, il expérimente le riz et l'indigo.

Il réalise enfin un vieux désir cher à son cœur : il plante de la vigne. Il a fait venir à grands frais des ceps du Rhin et de Bourgogne. Dans le nord de ses domaines, sur les bords de la rivière de la Plume, il s'est fait construire une sorte de gentilhommière. C'est sa retraite. L'Ermitage. Des touffes de grands arbres ombragent sa maison. Autour, il y a des jardins, des champs d'œillets, des champs d'héliotropes. Ses plus beaux fruits poussent là, cerises, abricots, pêches, coings. Dans les prairies sont ses plus belles bêtes de race.

Tous ses pas le mènent maintenant sur les coteaux. Toutes ses promenades sont pour ses vignes, Hochheimer, Chambertin, Château-Chinon.

A l'ombre d'une treille d'Italie et caressant son chien préféré, il songe à faire venir sa famille d'Europe, à indemniser richement ses créanciers, à sa réhabilitation, à l'honneur de son nom et comment doter sa lointaine petite patrie... Douce rêverie.

« Mes trois fils vont venir, ils auront du travail, ce seront des hommes. Et ma fille, comment est-elle? Tiens, je vais commander un grand piano chez Pleyel à Paris. Il viendra par la piste que j'ai suivie autrefois et s'il le faut à dos d'hommes... Maria... Tous mes compagnons... »

Rêverie.

Sa pipe s'est éteinte. Ses yeux sont perdus au loin. Les premières étoiles s'allument. Son chien ne bouge pas.

Rêverie. Calme. Repos.

C'est la paix.

CHAPITRE VII

27

Rêverie. Calme. Repos.

C'est la paix.

Non. Non. Non. Non. Non. Non. Non. Non. Non : c'est l'OR !

C'est l'or.

Le rush.

La fièvre de l'or qui s'abat sur le monde.

La grande ruée de 1848, 49, 50, 51 et qui durera quinzc ans.

SAN FRANCISCO !

CHAPITRE VIII

28

Et tout cela est déclenché par un simple coup de pioche.

Ces foules qui se ruent. D'abord celles de New York et de tous les ports américains de l'Atlantique, et, immédiatement après, celles de l'Hinterland et du Middle West. Un drainage s'effectue. On se parque dans les cales des steamers qui vont à Chagres. Puis c'est la traversée de l'Isthme, à pied, à travers les marécages. 90 % des effectifs meurent de la fièvre jaune. Les rescapés qui atteignent la côte du Pacifique affrètent des voiliers.

San Francisco! San Francisco!

The Golden Gate.

L'Ile aux Chèvres.

Les wharfs en bois. Les rues boueuses de la ville

naissante que l'on pave avec des sacs pleins de farine.

Le sucre vaut 5 dollars; le café, 10; un œuf, 20; un oignon, 200; un verre d'eau, 1 000. Les coups de feu retentissent et les revolvers, des 45, font office de shérif. Et derrière cette première marée humaine, d'autres foules, d'autres foules se ruent, venues de bien plus loin, des rives d'Europe, d'Asie, d'Afrique, du Nord et du Sud.

En 1856, plus de 600 navires franchissent la baie; ils déversent des foules sans cesse renouvelées qui se ruent aussitôt à l'assaut de l'or.

San Francisco! San Francisco!

Et cet autre nom magique : SUTER.

On ignore généralement le nom de l'ouvrier qui donna ce fameux coup de pioche.

Il s'appelait James W. Marshall, il était charpentier de son métier et originaire de New Jersey.

29

Johann August Suter, je ne dirai pas le premier milliardaire américain, mais le premier multimillionnaire des États-Unis, est ruiné par ce coup de pioche.

Il a quarante-cinq ans.

Et après avoir tout bravé, tout risqué, tout osé et s'être fait « une vie », il est ruiné par la découverte des mines d'or sur ses terres.

Les plus riches mines du monde.

Les plus grosses pépites.

C'est le filon.

CHAPITRE IX

30

Mais laissons la parole à Johann August Suter. Je copie le chapitre suivant dans un gros cahier à couverture en parchemin qui porte des traces de feu. L'encre a pâli, le papier a jauni, l'orthographe est peu sûre, l'écriture, pleine de paraphes et de queues compliquées, est difficile à déchiffrer, la langue est pleine d'idiotismes, de termes de dialecte bâlois, d'amerenglish. Si la main, d'une gaucherie attendrissante, a souvent hésité, le récit suit son cours, simplement, bêtement. L'homme qui l'a tracé n'a pas une plainte. Il se borne à raconter les événements, à énumérer les faits tels qu'ils se sont passés. Il reste toujours en deçà de la réalité.

Je traduis humblement :

31

« Vers le milieu du mois de janvier 1848, Mr. Marshall de New Jersey, mon charpentier pour la construction de mes moulins, travaillait à ma nouvelle scierie de Coloma, en haut, dans la montagne, à dix-huit heures du fort. Quand la charpente fut dressée, j'envoyai M. Wimmer et famille, plus quelques ouvriers, là-haut; Mr. Bennet, d'Orégon, les accompagnait pour s'occuper des attelages et de l'installation mécanique. Mme Wimmer faisait la cuisine pour tout le monde. J'avais encore besoin d'une scierie, car il me manquait des planches pour mon grand moulin à vapeur qui était également en construction, à Brighton, et dont la chaudière et la machinerie venaient d'arriver après dix-huit mois de voyage. Dieu soit béni, jamais je n'aurais cru voir réussir cette entreprise et tous les bœufs vont bien, merci. J'avais également besoin de planches pour la construction d'autres bâtiments et surtout pour établir la clôture du village de Yerba Buena, au fond de la baie, car il y a beaucoup de navires maintenant, et les équipages sont turbulents, maraudeurs, et des bestiaux et beaucoup de marchandises disparaissent on ne sait comment.

« C'était par un après-midi pluvieux. J'étais assis dans ma chambre au fort et j'écrivais une longue lettre à un vieil ami de Lucerne. Tout à coup Mr. Marshall fit irruption dans ma pièce. Il était trempé. J'étais très surpris de le voir déjà de retour, car je venais justement d'envoyer à Coloma un wagon chargé de vivres et de ferrailles. Il me dit qu'il avait quelque chose de très important à me communiquer, qu'il désirait me le dire tout à fait secrètement et qu'il me priait de le mener dans un endroit isolé, loin de tout indiscret qui pourrait nous surprendre. Nous montâmes à l'étage supérieur, il insista tant que nous nous enfermâmes dans une chambre bien qu'il n'y eût personne d'autre au ranch que le comptable, en bas, dans son bureau. Il lui manquait encore quelque chose, à Marshall, je redescendis, et je crois bien que j'allai lui chercher un verre d'eau, mais en rentrant, j'oubliai de refermer la porte à clef. Marshall venait justement de sortir un bout de chiffon de sa poche et était en train de me montrer une espèce de métal jaunâtre qui y était enveloppé, quand mon comptable pénétra dans la pièce pour me demander un renseignement. Marshall dissimula rapidement le métal dans sa poche. Le comptable s'excusa de nous avoir dérangés et sortit. – " Est-ce que je ne vous avais pas dit de fermer la porte, nom de Dieu! " criait Marshall. Il était dans tous ses états et j'eus toutes les peines du monde à le calmer et à le convaincre que le comptable était entré pour affaire et non pas pour nous surprendre. Cette fois-ci nous verrouillâmes la porte et poussâmes même une armoire devant. Et Marshall ressortit son métal. Il y avait plusieurs petits grains d'environ 4 onces chacun. Il me raconta qu'il avait dit aux ouvriers que c'était peut-être de l'or, mais tout le monde s'était moqué de lui et l'avait traité d'idiot. J'essayai le métal à l'eau régale, puis je lus tout le long article sur « l'or » dans l'*Encyclopedia Americana*. Là-dessus je déclarai à Marshall que son métal était de l'or, de l'or pur.

« Le pauvre garçon était comme fou. Il voulait remonter immédiatement à cheval, repartir pour Coloma. Il me suppliait de l'accompagner dare-dare. Je lui fis remarquer qu'il faisait déjà sombre et lui dis qu'il ferait mieux de passer la nuit au fort. Je lui promis de l'accompagner le lendemain matin; mais il ne voulut pas entendre raison et partit ventre à terre en me criant : " Venez demain, demain de bonne heure! " Il pleuvait à torrents et il n'avait pas même voulu casser la croûte.

« La nuit tomba d'un seul coup. Je rentrai dans ma chambre. Cette découverte de l'or dans le ruisseau, dans les fondations de ma scierie ne me laissait pas indifférent, non, mais je la prenais comme toutes les bonnes et les mauvaises fortunes de ma vie avec pas mal d'indifférence; toutefois je ne pus dormir de la nuit, je me représentais les suites terribles et les répercussions fatales que cette découverte pouvait avoir pour moi, mais je n'imaginais tout de même pas la ruine de ma Nouvelle-Helvétie! Le lendemain matin je distribuai des instructions détaillées à mes nombreuses équipes d'ouvriers et partis, à 7 heures, accompagné de quelques soldats et d'un cow-boy.

« Nous montions la route en lacet qui mène à Coloma, quand nous rencontrâmes à mi-chemin un cheval sans cavalier. Un peu plus haut, Marshall sortit du sous-bois. Il avait été arrêté par l'orage et n'avait pas pu continuer plus avant dans la nuit. Il était transi et mourait de faim. Son exaltation de la veille n'était toutefois pas tombée.

« Nous continuâmes la montée et arrivâmes dans ce fameux Eldorado. Le temps s'était un peu découvert. Dans la soirée nous fîmes un tour sur les rives du canal qui charriait à pleins bords des eaux gonflées par la pluie. Je fis fonctionner les écluses, instantanément il se vida et nous descendîmes alors dans son lit à la recherche de l'or. Nous trouvâmes beaucoup de petites parcelles, et Mr. Marshall et quelques ouvriers me remirent même des petits grains. Je leur dis que j'en ferais faire une bague aussitôt que cela serait possible en Californie et, en effet, je fis faire cette bague beaucoup plus tard, en forme de chevalière : à défaut d'armes, j'y fis graver la marque d'édition de mon père, un phénix se consumant, et à l'intérieur de l'anneau il y avait l'inscription suivante :

LE PREMIER OR DÉCOUVERT
EN JANVIER 1848

Trois crosses d'évêque, la croix bâloise, et mon nom : SUTER.

« Le lendemain je visitai Coloma dans toute son étendue, prenant bonne note de sa situation et de son assiette, et remarquant particulièrement les cours d'eau, puis je rassemblai tout mon monde. Je fis comprendre aux hommes qu'il était nécessaire de garder cette découverte secrète pendant cinq ou six semaines encore, le temps de parachever la construction de ma scierie pour laquelle j'avais déjà dépensé 24 000 dollars. Quand j'eus leur parole d'honneur, je redescendis à la maison. J'étais malheureux et ne savais comment me tirer de cette maudite découverte d'or. J'étais sûr qu'une telle affaire ne pouvait rester secrète.

« Et ainsi fut-il. Deux semaines s'étaient à peine écoulées, j'envoyai un Blanc à Coloma avec un chargement de vivres et des outils, quelques jeunes garçons indiens l'accompagnaient. Mme Wimmer lui raconta toute l'histoire et ses enfants lui donnèrent quelques grains d'or. De retour au fort, cet homme se rendit immédiatement aux magasins qui se trouvaient en dehors de mon enceinte. Il demanda à Smith une bouteille d'eau-de-vie. Il voulut la payer avec ces grains d'or rapportés de Coloma. Smith lui demanda s'il le prenait pour un dingo. Le charretier l'adressa à moi pour renseignements. Que pouvais-je faire? Je racontai toute l'histoire à Smith. Son associé, Mr. Brannan, vint aussitôt me trouver et me poser des tas de questions auxquelles je répondis en lui disant la vérité. Il sortit en courant, sans même refermer la porte. Dans la nuit, Smith et lui chargèrent toutes leurs marchandises sur des wagons, me volèrent des chevaux et partirent en hâte pour Coloma.

« Alors mes ouvriers commencèrent à se sauver.

« Je restai bientôt tout seul au fort avec quelques mécaniciens fidèles et 8 invalides.

« Mes employés mormons me quittèrent plus difficilement; mais quand la fièvre de l'or les gagna, ils perdirent eux aussi tout scrupule.

« Maintenant c'était sous mes fenêtres un défilé ininterrompu. Tout ce qui pouvait marcher montait de San Francisco et des autres vilayets de la côte. Chacun fermait sa hutte, sa baraque, sa ferme, son établissement et montait au Fort Suter, puis continuait sur Coloma. A Monterey et dans les autres villes du sud, on crut d'abord à une invention de ma part pour m'attirer de nouveaux colons. Le défilé sur la route s'arrêta durant quelques jours, puis il reprit de plus belle, ces villes aussi marchaient. Elles se vidaient; mon pauvre domaine était submergé.

« Mon malheur commençait.

« Mes moulins étaient arrêtés. On me vola jusqu'à la pierre des meules. Mes tanneries étaient désertes. De grandes quantités de cuir en préparation moisissaient dans les cuves. Les peaux brutes se décomposaient. Mes Indiens et mes Canaques se sauvèrent avec leurs enfants. Ils ramassaient tous de l'or qu'ils échangeaient contre de l'eau-de-vie. Mes bergers abandonnèrent les troupeaux, mes planteurs, les plantations, les ouvriers, leur ouvrage. Mes blés pourrissaient sur pied; personne pour faire la cueillette dans mes vergers; dans mes étables, mes plus belles vaches laitières beuglaient à la mort. Jusqu'à ma fidèle brigade qui s'enfuit. Que pouvais-je faire? Les hommes vinrent me trouver, ils me supplièrent de partir avec eux, de monter à Coloma, d'aller chercher de l'or. Dieu, que cela m'était pénible! Je partis avec eux. Je n'avais plus rien d'autre à faire.

« Je chargeai des marchandises et des vivres sur des wagons, et, accompagné d'un commis, d'une centaine d'Indiens et de 50 Canaques, j'allai établir mon camp de laveur d'or, dans la montagne, sur les rives du torrent qui porte aujourd'hui mon nom.

« Au début cela allait très bien. Mais bientôt, des quantités de gens sans aveu s'abattirent sur nous. Ils établirent des distilleries et firent la connaissance de mes hommes. Je levais mon camp et m'établissais toujours plus haut dans la montagne, j'avais beau faire, cette satanée engeance de distillateurs nous suivait partout et je ne pouvais empêcher mes pauvres Indiens et mes pauvres sauvages des Iles de goûter à une volupté nouvelle. Bientôt mes hommes furent incapables de fournir le moindre travail, ils buvaient et jouaient leur solde ou l'or ramassé, et étaient les trois quarts du temps ivres morts.

« Du sommet de ces montagnes, je voyais tout l'immense pays que j'avais fertilisé livré au pillage et aux incendies. Des coups de feu montaient jusque dans ma solitude et le brouhaha des foules en marche qui venaient de l'ouest. Au fond de la baie, je voyais s'édifier une ville inconnue qui grandissait à vue d'œil et au large, la mer était pleine de vaisseaux.

« Je n'y pus plus tenir.

« Je redescendis au fort. Je licenciai tous ceux qui s'étaient sauvés et qui ne voulaient pas m'accompagner. Je résiliai tous les contrats. Je réglai tous les comptes.

« J'étais ruiné.

« Je nommai un administrateur de mes biens et, sans même jeter un regard sur cette tourbe d'écumeurs qui étaient maintenant installés chez moi, je partis pour les rives de la rivière Plume voir si mes raisins étaient mûrs. Seuls m'accompagnaient les Indiens que j'avais élevés moi-même.

« Si j'avais pu suivre mes plans jusqu'au bout, j'aurais été en très peu de temps l'homme le plus riche du monde : la découverte de l'or m'a ruiné. »

CHAPITRE X

32

Le 17 juin 1848, le commandant Masson, le nouveau gouverneur américain, quitte Monterey pour aller se rendre compte personnellement de ce qu'il y a de vrai dans les bruits fantastiques qui courent au sujet de la découverte des mines d'or dans le bassin du Sacramento. Le 20, il est à San Francisco. Le bourg naguère encore si animé est à ce moment complètement désert et abandonné; toute la population mâle est aux mines.

« Le 3 juillet, dit son rapport, nous arrivons à Fort Suter. Les moulins sont silencieux. D'immenses troupeaux de bœufs et de chevaux ont démoli leurs clôtures et paissent tranquillement dans les champs de blé et de maïs. Les fermes tombent en ruine, il s'en dégage une odeur nauséabonde. Le fort lui-même est très animé. Des embarcations de toutes sortes, des bacs, des péniches débarquent et embarquent des montagnes de marchandises. Des camps de wagons couverts sont tout autour de l'enceinte. Des convois entiers arrivent et repartent. On paie 100 dollars par mois la location d'une toute petite chambre et 500 dollars de loyer mensuel l'occupation d'une misérable maisonnette d'un seul étage. Le forgeron et le maréchal-ferrant, qui sont encore au service de Suter, gagnent jusqu'à 50 dollars par jour. Sur une étendue de plus de 5 lieues, les versants des collines sont recouverts d'une multitude de tentes qui éclatent sous le soleil brûlant. Tout le pays fourmille de gens. Tout le monde lave de l'or, qui à l'aide d'une mince casserole ou de paniers indiens aux mailles étroitement tressées, qui à l'aide des fameux " berceaux ". »

Le Polynésien, un journal qui paraît à Honolulu, publie la lettre suivante dont nous extrayons ce passage :

« De San Francisco, notre chemin nous conduit par la vallée de la Puebla jusqu'à San José; c'est une trotte de 20 heures. Je n'ai jamais vu un pays aussi séduisant. Les fonds sont émaillés de fleurs, une multitude de cours d'eau parcourent les prairies, les collines sont couvertes de troupeaux. Je n'ai jamais vu un aussi beau paysage. Puis nous longeons les bâtiments délabrés de la Mission Santa Clara dont les toits de tuiles sont effondrés. Nous arrivons au bord du San Joachim que nous traversons à gué; puis, nous montons vers le Fort Suter, à travers un pays d'une fertilité étonnante et qui pourrait nourrir une population immense. Mais nous ne rencontrâmes pas un seul être humain. Toutes les fermes étaient abandonnées : les Américains, les Californiens, les Indiens, tout le monde était aux mines. Après avoir quitté le Fort Suter, nous suivîmes la berge du fleuve Americanos et gravîmes bientôt les premières hauteurs qui s'étagent en terrasses jusqu'à la Sierra Nevada. Nous fîmes halte à midi pour déjeuner et préparer une tasse de café. Pendant que l'eau bouillait, l'un de nous trempa son quart d'étain dans un petit ruisseau qui coulait à nos pieds; il le remplit de sable jusqu'aux bords, le lava et trouva au fond 4 grains d'or. Au coucher du soleil, nous avions atteint la scierie du capitaine Suter où le premier or avait été découvert. Nous venions de faire 25 lieues, traversant des mines d'or, d'argent, de platine, de fer, sur une route carrossable qu'une voiture de ville aurait pu aisément emprunter, dans une contrée féerique, couverte de fleurs et parcourue par des milliers de petits ruisseaux. Je trouvai là un millier d'hommes blancs occupés à laver l'or. La production moyenne est d'environ une once par jour et par homme, et chaque chercheur se fait dans les 16 dollars. Plus l'on creuse profondément, et plus le rapport est élevé. Jusqu'à présent celui qui a eu le plus de chance s'est fait 200 dollars en un seul jour. Les pépites sont de toutes les dimensions; la plus grosse qui ait été extraite pesait 16 onces. Toutes les montagnes des environs contiennent de l'or et du platine. A 5 lieues de la scierie, on vient de découvrir le plus riche filon d'argent connu. Ces trésors sont inépuisables... »

33

A la nouvelle de ces gisements prodigieux l'esprit d'entreprise des Yankees entra en ébullition. 10 000 émigrants pour la Californie se rassemblèrent à New York et à Boston. 65 sociétés se fondèrent dans la seule ville de New York pour exploiter cette nouvelle affaire. Les fils des plus riches familles y participaient et les capitaux rassemblés se chiffrèrent par millions. 500 hommes défilèrent en 15 jours dans un seul petit hôtel de Broadway et tous se rendaient au Far West. Au mois d'octobre, 21 navires avaient déjà quitté le grand port de l'est à destination de la rive pacifique! 48 autres se préparaient à appareiller; le 11 décembre, le centième sortait de l'Hudson. « Toute la Nouvelle-Angleterre est debout et se dirige vers les ports ou se prépare à traverser le continent; nous renonçons à compter les navires et les caravanes », s'écrie le *New York Herald* à cette date.

Et quel voyage!

34

Ceux qui choisissaient la voie de terre devaient s'attendre à des mois de privations et de fatigues. Les autres contournaient le cap Horn; – sorti du havre de New York, on piquait droit dans le sud, on traversait le golfe du Mexique, on franchissait la Ligne, on longeait la côte américaine du sud jusqu'à cap Horn, le cap des Tempêtes; puis on remontait d'autant vers le nord, on suivait la côte du Chili, on refranchissait la Ligne et l'on piquait droit sur San Francisco – un voyage de 17 000 milles maritimes que l'on effectuait entre 130 et 150 jours.

Mais la plupart des chercheurs d'or traversaient l'Isthme. Un véritable torrent humain remontait le Gulf Stream, battait les plages de Cuba et de Haïti, pour venir se jeter en trombe sur Chagres, un trou malsain, dans les marais et la chaleur. Quand tout allait, on pouvait se frayer un chemin à travers des peuplades indiennes dégénérées et des villages de Nègres lépreux et atteindre Panama en trois jours, malgré le sol mouvant, les moustiques, la fièvre jaune. Puis l'on s'embarquait en furie pour Frisco.

Ce trafic était tel qu'une maison new-yorkaise commença la construction d'un chemin de fer. On déversa des tonnes de terre et de gravier dans les marais, des milliers d'ouvriers y laissèrent leur peau, mais la voie fut terminée. Il est vrai que les traverses s'enfonçaient sous le poids des convois, mais les trains passaient quand même et le voyage de San Francisco fut raccourci de quelques semaines.

En tête de ligne une ville vit le jour, elle prit le nom du directeur de l'entreprise, Aspinwall. Des communications régulières s'établirent, par bateaux à vapeur, d'Angleterre, de France, d'Italie, d'Allemagne, d'Espagne, de Hollande. Les petits trains roulaient essoufflés sur Panama, avec leur cargaison fiévreuse d'Européens qui venaient à leur tour tenter fortune en chemises rouges, en bottes de cuir fauve et en pantalons de velours.

San Francisco. La Californie. Suter!

Ces trois noms faisaient leur tour du monde, on les connaissait partout, jusque dans les villages les plus reculés. Ils réveillaient les énergies, les appétits, la soif de l'or, les illusions, l'esprit d'aventure. De tous les points du globe partaient maintenant des solitaires, des corporations, des sectes, des bandes vers la Terre promise, où il suffisait de se baisser pour ramasser des monceaux d'or, de perles, de diamants; tous convergeaient vers l'Eldorado. Et sur les quais de San Francisco c'était un incessant arrivage de Sud-Américains, de Kamtchadales, de paysans de Sibérie et de toutes les races d'Asie embarquées dans les ports chinois. Les troupes de Nègres, de Russes, de Jaunes occupaient tour à tour le Fort Suter et relevaient les Allemands, les Suédois, les Italiens, les Français, déjà montés aux mines. Des agglomérations naissaient et se multipliaient avec une rapidité sans exemple dans l'histoire. En moins de 7 ans, les habitants des villes se chiffraient par centaines de mille et ceux du pays par millions. En 10 ans, San Francisco était devenu une des plus grandes capitales du monde. Le petit village de Yerba Buena avait été englouti. Le terrain à bâtir s'était vendu aux mêmes prix qu'à Londres ou à New York.

Et cependant, Johann August Suter est ruiné.

35

Le nom de Suter est sur toutes les lèvres de ceux qui remontent le Sacramento; mais chacun s'établit quand même dans les endroits les plus propices et là où le sol offre ses trésors, chacun y puise à pleines mains. La plantation de Suter, ses cultures, son domaine sont le centre des laveurs de l'or. Cette multitude de riches petits cours d'eau, le premier emplacement de la ferme judicieusement choisi, la fertilité extraordinaire de la terre, les routes tracées, les ponts, les canaux, autant d'invites pour s'établir à demeure. Des villages naissent les uns après les autres. Le fort tombe en ruine. Le nom de la Nouvelle-Helvétie disparaît. On donne des noms nouveaux à la contrée, et bien que Sutersville, Suterscreek, Suterscounty portent son nom, pour Suter même, loin d'être un hommage, ces noms ne signifient rien, sinon la ruine de son établissement et le malheur de sa vie.

36

Johann August Suter s'est retiré dans son ermitage.

Il a ramené ce qu'il a pu de ses troupeaux. Malgré les événements, la première récolte lui rapporte encore 40 000 boisseaux. Ses vignobles, ses vergers semblent bénis. Il pourrait encore exploiter tout cela, car il y a dans la contrée disette de vivres, l'importation ne va pas de pair avec l'immigration folle, et la nuée des chercheurs d'or est plus d'une fois menacée de famine.

Mais Suter n'a plus le cœur à l'ouvrage.

Il laisse tout tomber.

Ses employés les plus fidèles, ses hommes de confiance l'ont abandonné. Il a beau les payer très cher, on gagne encore plus aux mines. Il n'y a plus de bras pour les cultures. Il n'y a pas un seul berger.

Il pourrait encore refaire fortune, spéculer, profiter de la hausse vertigineuse des denrées alimentaires; mais à quoi bon? Il voit maintenant tomber ses réserves de grains et bientôt la fin de ses provisions.

D'autres feront fortune.

Il laisse faire.

Il ne fait rien.

Il ne fait rien.

Il assiste impassible à la prise en possession et au partage de ses terres. On établit des titres de propriété. Un nouveau cadastre s'enregistre. Les derniers arrivants sont accompagnés d'hommes de loi.

37

Dès la rétrocession du Texas et de la Californie, le Gouvernement de Washington a étendu les lois fédérales à ces deux territoires; mais il y a pénurie de magistrats et au moment de la ruée, aucune autorité n'a prise sur ces foules cosmopolites assoiffées d'or. Quand le gouverneur de Monterey envoie des troupes pour maintenir l'ordre, les soldats abandonnent armes et bagages et se sauvent dans les mines, et si un vaisseau de guerre, envoyé par le Gouvernement fédéral pour faire respecter la loi, débarque un équipage armé, le commandant ne revoit jamais plus un seul de ses matelots, même une solde de 15 dollars par jour ne peut les retenir, les mines les attirent tous et ils y disparaissent à tout jamais.

Le pays est infesté de voleurs et de brigands. Les *desperados* et les *outlaws* y font la loi, leur loi. C'est le règne épique des *forty-five* et de la justice la plus sommaire. La lutte pour la vie est la loi du plus fort. On prend au lasso ou on abat à coups de revolver. Les *vigilance committees* se constituent qui protègent la vie communale lentement renaissante. Les premiers occupants du sol vont enfin pouvoir chercher asile à Monterey et faire valoir leurs droits de propriétaires. Le gouverneur adresse leurs justes revendications à qui-de-droit et le Gouvernement nomme des commissions d'enquête. Mais Washington est par trop loin, les commissions officielles voyagent lentement tandis que les immigrants se précipitent, arrivent avec une rapidité sans cesse croissante, inondent le pays, s'y établissent, s'y multiplient. Quand messieurs les commissaires sont enfin sur place, ils ne peuvent que constater un formidable remue-ménage d'hommes et de choses, un bouleversement complet de la propriété et si, par malheur, ils étudient une affaire à fond, ils restent de plus en plus en arrière sur les événements.

10 grandes villes ont surgi. 1 500 villages.

On n'y peut rien.

Faire appel à la Loi.

La Loi.

En septembre 1850, la Californie entre régulièrement dans la confédération des États-Unis. C'est un État enfin doté de fonctionnaires et de magistrats, un corps constitutionnellement au grand complet.

Alors commence une série de procès prodigieux, coûteux, inutiles.

La Loi.

La Loi impuissante.

Les hommes de loi que Johann August Suter méprise.

CHAPITRE XI

38

Bâle, fin décembre 1849.

On ignore encore à Bâle la découverte des mines d'or.

Mme Suter est descendue au fameux hôtel de la Cigogne. Ses trois grands fils et sa jeune fille sont avec elle. Un ami dévoué, tuteur des enfants durant la longue absence et le plus long silence du père, l'accompagne. Mme Anna Suter, née Dütbold, est une grande femme brune qui cache son excès de douceur sous une apparente sévérité. Elle porte au cou, dans un médaillon d'or, un daguerréotype de Johann August, alors son fiancé.

Anna Suter a été longue à se décider. Une lettre datée de la Nouvelle-Helvétie, fin décembre 1847, l'appelle en Californie. Des instructions détaillées pour l'embarquement et le voyage y sont jointes, ainsi qu'une importante lettre de crédit sur la banque Passavant, Sarrazin et Cie à Bâle. Si Anna Suter entreprend aujourd'hui ce voyage, c'est grâce à son père, le vieux pasteur de Grenzach, qui l'a poussée au nom de la charité chrétienne et pour l'honneur de ses enfants, et aussi grâce aux soins dévoués de Martin Birmann, le tuteur, qui s'est occupé de toutes les démarches et formalités, qui a fait plusieurs fois le voyage de Bâle, qui est allé aux renseignements à la banque, qui en a rapporté des nouvelles sensationnelles, et une grosse somme d'argent. Aujourd'hui, Mme Suter est rassurée, elle sait que son mari, Johann August Suter, est un homme honorablement connu et accrédité dans les plus grandes banques d'Europe, qu'il est un des plus gros colons d'Amérique, le propriétaire d'un domaine plus grand que tout le canton de Bâle, le fondateur d'un pays, le fertilisateur d'une contrée, quelque chose comme Guillaume Tell, car elle ne réalise pas au juste ce que c'est que la Nouvelle-Helvétie, et elle a entendu parler de guerres et de batailles mais qu'importent son effroi et son tremblement secrets, elle a pu payer toutes les anciennes dettes de son mari et faire annuler le jugement infamant d'autrefois. Maintenant son devoir l'appelle là-bas. Elle s'y rend.

Le principal commis de la banque Passavant, Sarrazin et Cie est venu à l'hôtel apporter des lettres de crédit sur les maisons de banque Dardel Aîné à Paris, et Pury, Pury et Fils au Havre. Il fait des souhaits de bon voyage à Mme Suter de la part de ses directeurs et en profite pour lui parler d'un sien cousin qu'il désirerait beaucoup voir casé en Amérique. Le postillon est devant la porte qui fait claquer son fouet. Les propriétaires de la Cigogne, M. et Mme Freitag, offrent un vin d'honneur. Il y a une nombreuse affluence de bons bourgeois qui s'attendrissent sur cette pauvre femme qui part pour un si long voyage. On lui fait mille et mille recommandations. Perdu dans un grand fauteuil Voltaire, le petit vieux Martin Birmann pleure et éternue dans son mouchoir. Il tient, posé sur les genoux, un sac de voyage en tapisserie, fermé d'un gros cadenas. Enfin, toute la famille est installée dans la chaise de poste et Martin Birmann confie le précieux sac à Mme Suter, en lui énumérant encore une fois tout ce qu'il contient.

La voiture s'ébranle. On pousse des vivats. Les enfants rient. La mère ressent un grand choc au cœur. Martin Birmann prend une double prise pour briser son émotion.

Bon voyage!

Bon voyage!

39

Le voyage s'effectue rapidement. La chaise de poste brûle les étapes. On couche à Délémont. Le lendemain, on déjeune de truites à Saint-Ursanne, et tandis que les enfants s'extasient sur le petit bourg qui a conservé ses remparts moyennâgeux, Mme Suter sent son cœur se serrer à la pensée qu'elle entre dans les pays catholiques. On couche le soir dans la jaune Porrentruy. Puis, c'est le lendemain l'entrée dans les pays des Welches, par les vallées de la Joyce et de l'Allaine, Boncourt, Delle, Belfort, où l'on monte dans la voiture qui arrive de Mulhouse.

Maintenant, on va à fond de train sur la grande route de France, et par Lure, Vesoul, Vitrey, Langres, on atteint à temps Chaumont pour prendre la malle de Paris. De Chaumont il y a bien le coche d'eau à vapeur qui mène à Troyes, d'où l'on peut atteindre Paris par la voie ferrée, mais Mme Suter a vu au relais de la poste une feuille dans laquelle des dessins d'un certain Daumier exposent tous les dangers que ce nouveau mode de locomotion fait courir aux voyageurs; c'est pourquoi elle monte, malgré ses instructions, dans la voiture publique qui arrive de Strasbourg, c'est moins dangereux et elle s'y trouvera avec des gens qui parlent encore l'allemand. Les enfants, surtout les garçons, sont déçus.

A Paris, M. Dardel Aîné, son banquier, la met en garde contre trop de précipitation. C'est chez lui qu'elle entend parler pour la première fois de la découverte des mines d'or. Elle a envie de pleurer et de retourner chez son père. M. Dardel ne sait pas au juste de quoi il s'agit, mais il a entendu dire que tous les va-nu-pieds d'Europe vont en Californie et que l'on se bat et que l'on s'assassine dans les mines. Il lui conseille de ne pas pousser plus loin que Le Havre et d'y prendre de sérieux renseignements chez ses confrères avant de s'aventurer sur le port.

Sur le chaland qui descend la Seine, il y a des hommes à figure patibulaire qui font un petit groupe à part parmi les autres voyageurs. Ils sont assis sur les bagages et parlent entre eux à voix basse. Parfois des discussions farouches s'élèvent et l'on entend, au milieu des cris et des jurons, les mots Amérique, Californie, Or.

MM. Pury, Pury et Fils ouvrent de grands yeux quand ils voient entrer Mme Anna Suter dans leur bureau et apprennent de sa bouche qu'elle veut se rendre à la Nouvelle-Helvétie.

– Mais oui, madame, nous connaissons fort bien M. Johann August Suter, nous sommes ses agents de commission et traitons depuis des années de très grosses affaires pour lui. Tenez, il n'y a pas six mois que nous lui avons expédié par mer un grand piano à queue. Mais il y a du nouveau, du nouveau; nous ne savons pas au juste de quoi il s'agit, on dit qu'il est aujourd'hui l'homme le plus riche du monde? Il aurait découvert de l'or, des mines d'or, des montagnes d'or. Nous ne savons pas au juste combien. Toujours est-il que nous vous dissuadons absolument de vous embarquer maintenant et d'aller le rejoindre. Ce n'est pas le moment d'aller dans ce pays de Californie. Depuis quelque trois mois, Le Havre est envahi par toutes espèces d'aventuriers qui se rendent dans ce pays, des gens sans foi ni loi qui ont fait plus d'un mauvais coup en ville. Ce n'est pas le moment d'exposer vos fils ni surtout votre jeune demoiselle. Non, on ne passe plus par New York, c'est beaucoup trop long. Nous avons nous-mêmes affrété 3 vapeurs qui se rendent directement à Chagres, c'est beaucoup plus court. Tout le monde emprunte cette voie maintenant, nous avons encore eu 712 départs ce mois-ci. Mais réfléchissez, madame, songez aux risques que vous courez en pareille compagnie. Patientez quelques mois, nous allons demander des instructions vous concernant à M. Johann August Suter. Vous pouvez... »

Devant la calme obstination de Mme Suter, MM. Pury, Pury et Fils n'insistent pas davantage. Ils font le nécessaire. Anna Suter et ses enfants embarquent sur un de leurs vapeurs, *la Ville-de-Brest,* bateau à aubes qui faisait le service de Jersey et que l'on a affecté à la nouvelle ligne maritime de Chagres et au transport des chercheurs d'or.

La traversée se fait en 41 jours. Il y a 11 hommes d'équipage et 129 passagers qui aident à la manœuvre. Mme Suter et sa fille sont les seules femmes à bord. Les passagers viennent de tous les pays, mais il y a surtout des Français, des Belges, des Italiens, des Espagnols. 5 Suisses, 9 Allemands, un Luxembourgeois renseignent plus particulièrement Mme Suter sur leur entreprise. Non, ils n'ont jamais entendu parler de Suter, mais ils ont entendu dire que la Californie est un pays plein d'or, de perles et de diamants. Il n'y a qu'à se baisser. Un tel, un tel, un tel sont déjà partis, eux ne font que suivre et d'autres, beaucoup d'autres, viendront encore. Plusieurs sont déjà, paraît-il, riches à millions. Il y a de l'or partout, madame, on le ramasse à la pelle...

Aspinwall. Chaleur, humidité, humidité, chaleur. Il y a 17 vapeurs sur rade qui battent pavillon de 9 nationalités. New York, Boston, Philadelphie, Baltimore, Portland, Charleston, Orléans : les foules américaines prennent d'assaut le petit train de Panama. On crie, on hurle, on se bouscule et, tandis que la locomotive s'époumone dans les marais, sous une lourde buée, le long des huttes de pisé pleines d'Indiens qui louchent et de Nègres aux membres purulents, un rude chant s'élève, scandé sur les rythmes du train et braillé par 1 000 voix d'hommes :

To Frisco!
To Frisco!
Suter. Suter. Suter. Suter.
Suter. Suter. Suter. Suter.
To Frisco!
Sszzzzz. K. Sszzzzz. K. Pug!
Welcome back again!

Anna Suter tient sa fille étroitement enlacée. Les garçons se penchent pour voir les bêtes venimeuses dans les marais. Un Danois et un Allemand qui descendent du Nouveau-Brunswick, racontent ce qu'ils savent du grand capitaine Suter. C'est un roi; c'est un empereur. Il est monté sur un cheval blanc. La selle est d'or, le mors est d'or, et les étriers et les éperons aussi, même les fers de son cheval. C'est toujours fête et l'on boit de l'eau-de-vie toute la journée. Mme Suter s'évanouit, son cœur a cessé de battre. Arrivée à Panama elle a une mèche de cheveux blancs.

Le soleil est comme une pêche fondante.

Panama-Frisco à bord d'un voilier. Les membres de l'équipage sont d'affreux Canaques qui font peur. Ils sont horriblement maltraités. Le patron, un Anglais, coupe le pouce de l'un d'eux pour bourrer sa pipe. Les passagers sont tellement excités par l'approche du pays de l'or, qu'ils se chamaillent pour un rien et jouent facilement du couteau. Mme Suter est prise d'un tremblement, d'un tremblement physique qui la tient jusqu'à Frisco.

A San Francisco, elle apprend que la Nouvelle-Helvétie n'existe plus et que Suter a disparu.

40

Des femmes, il y en a des femmes qui travaillent sur les placers, de rudes gaillardes, qui n'ont pas froid aux yeux et qui triment et qui crèvent à la peine tout comme les hommes. Elles bossent, elles sacrent, elles jurent, fument la pipe, crachent, chiquent du gros câblé noir tout en maniant la pelle et la pioche tout le long du jour, pour aller boire la nuit et perdre leur poudre d'or aux cartes. Il ne faut pas trop s'y fier, car elles sont encore plus vindicatives et plus violentes que les hommes, surtout qu'elles sont très chatouilleuses sur les questions d'honneur et qu'elles défendent facilement leur vertu à coups de revolver, comme ces deux Françaises, devenues légendaires dans l'histoire de la Californie, dont parle M. Simonin dans sa *Relation d'un voyage en Californie* publiée dans *Le Tour du monde,* année 1862 : « ...après avoir longuement parlé des hommes pourquoi ne pas dire quelques mots des femmes quoiqu'elles soient encore très peu nombreuses en Californie?

« J'en citerai une, entre autres, que les mineurs ont appelée Jeanne d'Arc. Elle travaillait comme un homme sur les placers et fumait la pipe.

« Une autre, qui exploite un claim très productif, répond au nom de Marie Pantalon et elle emprunte ce sobriquet au vêtement masculin auquel elle a donné la préférence... »

41

Soleil de feu.

Une petite troupe monte au Fort Suter conduite par un vieux Mexicain. Trois jeunes gens et une jeune fille à cheval escortent une litière portée par deux mulets.

Ce voyage a épuisé Anna Suter. Son tremblement ne s'arrête pas. Elle grelotte de froid.

L'œil est vitreux.

– Oui, madame, le maître est à son Ermitage. C'est un beau domaine qu'il a sur la rivière Plume, un beau domaine. Il est dans ses vignobles. Vous prendrez par les traverses, je vais vous donner un guide sûr qui vous y mènera par les sentiers de la montagne et vous éviterez tous ces gueux qui sont maintenant chez nous. Ma femme vous conduira, c'est une Indienne, elle connaît tout le pays. Dites au maître que Wackelnager lui-même, le gérant, a tout abandonné pour aller à l'or, et qu'Ernest aussi est parti, le maréchal-ferrant qui travaillait encore avec moi. Dites-lui que j'ai bien l'œil à tout et que je rattrape tout ce que je puis rattraper. Il y a encore beaucoup d'argent à faire par ici, mais, grand Dieu! qu'il me dise ce que je dois faire. Je suis tout seul. Dites au maître qu'il ne ferait pas mal de faire un tour par ici.

C'est Jean Marchais qui parle, un Français, le forgeron du fort resté fidèlement à son poste et qui travaille encore pour son bon maître.

42

C'est par un beau soir californien.

On a traversé tout le jour les cultures abandonnées de l'Ermitage. Depuis le départ de Fort Suter, on n'a pas rencontré âme qui vive. Ce beau domaine envahi par les herbes et une végétation forestière est plus tragique que la brousse des montagnes.

Maintenant on découvre la gentilhommière silencieuse.

La petite troupe fait halte.

Aux cris gutturaux de Sawa, l'Indienne, un chien répond lugubrement. Puis deux Indiens sortent de la maison qui font de nombreux signes des bras.

Le cortège avance jusque dans la cour et l'on décharge la litière.

Maman! Maman!

– Maman, regarde, nous sommes arrivés. Papa va venir. Sawa prétend qu'il est prévenu.

Anna Suter ouvre les yeux. Elle regarde tout grand, tout grand cet immense ciel vide, cette terre étrangère, cette végétation folle et cette grande maison qu'elle ne connaît pas.

Un homme sort de la maison, un vieillard.

Anna Suter s'est à moitié redressée. Elle crie :

– Johann!

Immédiatement après elle râle.

Des choses molles remplissent son pauvre cerveau de pauvre femme. Tout tourne. Des clartés et des ombres. Un grand bruit d'eau remplit sa pauvre tête. Elle entend des cris et sa mémoire a un sursaut. Elle se souvient d'un tas de choses, et, tout à coup, elle entend distinctement la bonne voix de Jean Marchais, le forgeron, qui lui fait des recommandations pour son maître. Alors elle répète humblement, elle murmure, et Johann August Suter, qui s'est précipité au chevet de sa femme, l'entend murmurer :

– Maître...

CHAPITRE XII

43

Le père Gabriel, le protecteur des Indiens, vient de passer quelques jours à l'Ermitage. Aujourd'hui il en repart avant l'aube, car sa mission le rappelle chez les sauvages. C'est un homme rude et sa parole est fameuse dans les tribus; il vit au milieu des Sioux, Osages, Comanches, Pieds-Noirs, Serpents qui l'écoutent comme un oracle. Il voyage toujours à pied. Johann August Suter l'accompagne jusqu'à Pierre-Ronde sur le sentier de la Sierra.

– Capitaine, dit le père Gabriel à Johann August Suter au moment de se séparer et en lui étreignant la main, capitaine, un pan de l'histoire du monde s'est abattu sur tes épaules, mais tu es toujours debout sur les ruines de ta puissance. Relève la tête, regarde autour de toi. Vois ces milliers d'individus qui débarquent chaque jour et qui viennent ici travailler à la fondation de leur bonheur. Une vie nouvelle s'établit dans la contrée. Tu dois donner l'exemple. Courage, vieux pionnier, ce pays est ta véritable patrie. Recommence.

44

Si Suter s'est remis à l'ouvrage, ce n'est pas pour lui, c'est pour ses enfants. Il construit la ferme de Burgdorf pour son fils Victor et celle de Grenzach pour son fils Arthur. Mina, sa fille, aura l'Ermitage. Quant à Émile, son fils aîné, il l'a envoyé dans l'est étudier le droit.

Le père Gabriel fournit la main-d'œuvre nécessaire à cette reprise d'activité : des équipes d'Indiens et de Canaques que sa parole écoutée sait arracher aux distillateurs et aux mines.

L'Ermitage est maintenant un centre de tempérance pour les sauvages et les insulaires.

On embauche également des Jaunes de plus en plus nombreux.

Et la prospérité renaît; mais pas pour très longtemps.

45

Johann August Suter ne peut oublier le coup qui l'a frappé. Il est en proie à une sombre terreur. Il s'éloigne de plus en plus des travaux de la ferme et cette nouvelle mise en train n'absorbe plus comme autrefois toutes ses facultés. Tout cela ne l'intéresse plus guère et ses enfants peuvent très bien y suffire et réussir en suivant ses indications. Lui se plonge dans la lecture de l'*Apocalypse*. Il se pose des tas de questions auxquelles il ne sait comment répondre. Il croit avoir été toute sa vie un instrument entre les mains du Tout-Puissant. Il cherche à deviner dans quel but, pour qu'elle raison? Et il a peur.

Lui, l'homme d'action par excellence, lui qui n'a jamais hésité, hésite maintenant. Il devient renfermé, méfiant, sournois, avare. Il est plein de scrupules. La découverte des mines d'or l'a blanchi, barbe et cheveux; aujourd'hui, l'inquiétude secrète qui le ronge courbe et ploie sa grande taille de chef. Il va vêtu d'une longue robe de laine et porte un petit bonnet en peau de lapin. Sa parole devient trébuchante. Ses yeux fuyants. La nuit, il ne dort pas.

L'Or.

L'Or l'a ruiné.

Il ne comprend pas.

L'or, tout cet or extrait depuis quatre ans et tout l'or qu'on extraira encore lui appartient. On l'a volé. Il cherche d'en estimer mentalement la valeur, de formuler un chiffre. 100 millions de dollars, un milliard? Dieu, la tête lui tourne à la pensée qu'il n'en aura jamais un sou. C'est une injustice. A qui s'adresser, Seigneur? Et tous ces hommes qui sont venus détruire ma vie, pourquoi? Ils ont incendié mes moulins, pillé et dévasté mes plantations, volé et abattu mes troupeaux, ruiné mon immense labeur, est-ce juste? Et maintenant, après s'être assassinés entre eux, ils fondent des familles, des villages, des villes et s'organisent sur mes terres, à l'abri de la Loi. Si c'est dans l'ordre des choses, Seigneur, pourquoi ne puis-je moi aussi en profiter et pourquoi ai-je mérité un si total malheur? Toutes ces villes, toutes ces villes m'appartiennent après tout, et les villages, et les familles, et les gens, leur travail, leurs bestiaux, leur bonheur. Mon Dieu, que faire? Tout s'est fracassé entre mes mains, biens, fortune, honneur, la Nouvelle-Helvétie et Anna, cette pauvre femme. Est-ce possible et pourquoi?

Suter cherche une aide, un conseil, un appui autour de lui; mais tout se dérobe au point qu'il croit par moments ses maux imaginaires. Alors, par un étrange retour sur lui-même, il songe avec honte à son enfance, à la religion, à sa mère, à son père, à ce milieu d'honneur et de travail, et surtout à son grand-père, à cet homme intègre, à cet homme d'ordre et de justice.

Il est victime d'un mirage.

Il se retourne de plus en plus vers sa lointaine petite patrie; il songe à ce coin paisible de la vieille Europe où tout est calme, réglé, à sa place. Tout y est bien ordonné, les ponts, les canaux, les routes. Les maisons sont debout depuis toujours. La vie des habitants est sans histoire : on y travaille, on y est heureux. Il revoit Rünenberg comme sur une image. Il pense à la fontaine dans laquelle il a craché en partant. Il voudrait y retourner et mourir.

46

Un jour il écrit la lettre suivante :

« Mon cher Monsieur Birmann,

« Vous avez appris par mes enfants le grand malheur qui m'avait déjà frappé quand ma pauvre Anna est venue mourir devant ma porte. Ainsi en a voulu la Providence divine. Mais connaissez-vous bien toute l'étendue de mon malheur? Je ne veux pas recommencer une fois de plus l'histoire de cette catastrophe qui est en somme l'histoire de toute ma vie, je l'ai assez rabâchée pour moi seul durant ces quatre dernières années, et je vous assure que je n'y entends plus rien et que je n'y vois goutte. Je ne sais pas me plaindre et pourtant c'est un pauvre homme qui vous écrit, cassé, fourbu, rendu comme un vieux cheval. Toutefois je dois dire que je ne mérite pas ce qui m'est arrivé et que j'ai su payer par des années d'adversités quelques erreurs de jeunesse. Sachez que je vivais dans ce pays comme un prince ou plutôt, comme dit un proverbe de chez nous, je vivais dans ce beau pays de Californie " comme Dieu en France ". La découverte de l'or m'a ruiné. Je ne comprends pas. Les voies détournées du Seigneur sont obscures. C'est Mr. Marshall, mon charpentier, qui a mis l'or à jour en travaillant dans les fondations de ma scierie de Coloma. Après son coup de pioche, tout le monde m'a abandonné, mes employés, mes ouvriers, mes commis, jusqu'à mes braves soldats et à mes hommes de confiance que je payais pourtant assez cher. Mais ils ont voulu plus, et ils m'ont volé, pillé et se sont rués à la recherche de l'or. L'or est maudit, et tous ceux qui viennent ici, et tous ceux qui le ramassent sont maudits, car la plupart d'entre eux disparaissent, je me demande comment? La vie ici a été un enfer durant ces dernières années. On se tuait, on se volait, on s'assassinait. Tout le monde se livrait au brigandage. Beaucoup sont devenus fous ou se sont suicidés.

Tout ça pour l'or, et cet or s'est transformé en eau-de-vie, et je me demande ce qu'il est devenu après et plus loin. Aujourd'hui il me semble que le monde entier est chez moi. Des hommes sont venus de tous les pays, ils ont construit des villes, des villages, des fermes sur mes terres et se sont partagé mes plantations. Ils ont élevé une ville maudite, San Francisco, à l'endroit même que j'avais choisi pour débarquer mes pauvres Canaques, qui eux aussi m'avaient abandonné pour aller à l'or et boire ensuite, et ils seraient déjà tous crevés comme des chiens si le bon padre Gabriel n'allait les chercher et les tirer des griffes de Shanon, le roi des distillateurs, et ne me les ramenait, souvent au risque de sa vie, et je les emploie, et ils travaillent maintenant à l'Ermitage avec mes bons Indiens et dans les deux nouvelles fermes que j'ai données aux garçons, à Victor et à Arthur, ainsi qu'ils ont dû vous l'écrire.

« La Californie fait aujourd'hui partie de l'Union américaine et le pays est en complète transformation. Des troupes fidèles sont arrivées de Washington, mais l'ordre est encore loin d'être rétabli. Tous les jours débarquent des nouveaux venus et il y a encore des montagnes d'or. Comme je vous le disais, les anciens ont presque tous disparu sans que l'on sache comment. La bête de l'*Apocalypse* erre maintenant dans la contrée et tout le monde est plein d'agitation. Les Mormons sont déjà partis avec des chariots remplis d'or, et je n'ai pas voulu les suivre. On dit qu'ils ont construit une ville sur les bords du lac Salé où ils vivent maintenant dans la débauche et l'ivresse, car ils ont planté des vignes, ce qu'ils ont appris chez moi, où beaucoup d'eux travaillaient avant la découverte de l'or, et ils étaient alors sérieux, de bons travailleurs, oui, et maintenant ils semblent maudits, eux aussi. Suis-je réellement responsable de tout cela? je le crois par moments quand je songe à ma misère. Des bandes de comédiens parcourent aussi la région et il y a beaucoup de femmes qui viennent faire souche ou qui repartent, des Italiennes, des Chiliennes et des Françaises. Les premiers propriétaires du sol sont tous en chicane avec des avocats de New York qui délivrent des titres de propriété aux nouveaux arrivants. Tout le monde est en procès; moi, je ne sais pas, je n'ai voulu imiter personne, que dois-je faire? C'est pourquoi je vous écris.

« Voici la situation.

« Je suis ruiné.

« D'après la loi américaine, la moitié de l'or extrait me revient de plein droit et il y en a pour des centaines et des centaines de millions de dollars. D'un autre côté, j'ai subi un préjudice incalculable du fait de la découverte de l'or sur mes terres, mon domaine a été envahi, dévasté, j'ai donc droit à une indemnité. En troisième lieu, je suis le seul propriétaire du terrain sur lequel s'est édifié San Francisco (à part une mince bande de terrain en bordure de la mer qui appartenait à la Mission des franciscains) et d'autres terrains sur lesquels on a construit d'autres villes et villages. J'ai tous les titres de propriété de ces terrains qui m'ont été donnés du temps des Mexicains par les gouverneurs Alvarado et Michel-Torena pour me récompenser de mes services et me rembourser de mes dépenses lors des guerres avec les Indiens sur la frontière nord. Quatrièmement, des quantités de nouveaux colons se sont installés dans mes plantations et exhibent des titres de propriété flambant neufs, alors que c'est moi qui ai fertilisé toute cette région et ai payé les plus belles métairies aux Russes qui s'en allaient. Et pour finir, les ponts, les canaux, les étangs, les écluses, les routes, les chemins, l'estacade de la baie, les pontons, les moulins que j'ai construits avec mes propres deniers, servent aujourd'hui à l'intérêt public, il faut que le Gouvernement de l'État me les paie. Puis il y a encore tout l'or que l'on va extraire durant un quart de siècle et sur lequel j'ai droit.

« Que dois-je faire?

« Je suis malade de penser à la somme que tout cela représente.

« Si je commence, ce n'est pas un, mais mille procès que je dois faire à la fois et attaquer des dizaines de mille de particuliers, des centaines de communes, le Gouvernement de l'État de Californie et le Gouvernement de Washington. Si je commence, ce n'est pas une, mais 10, mais 100 fortunes que je dois débourser; il est vrai que ce que je réclame en vaut la peine, déjà avant la découverte de l'or j'étais en voie de devenir l'homme le plus riche du monde. Si je commence, ce n'est pas un pays nouveau que je viens conquérir comme quand je débarquai pour la première fois et seul sur les sables du Pacifique, mais c'est le monde entier que j'aurai contre moi, et je devrai lutter durant des années et des années, et je commence à me faire vieux, je suis déjà dur d'oreille, et mes forces peuvent me trahir, et c'est cela qui m'a fait penser à envoyer Émile, mon aîné, à la Faculté, car c'est à lui que reviendra toute cette immense affaire de l'or et, étant de la maison, il saura mieux éviter les embûches et les pièges de la Loi et des hommes de loi que son bonhomme de père, qui, je l'avoue, les craint fort.

« En tout honneur, je ne puis pas tout perdre comme ça, sans rien dire, c'est une injustice!

« Souvent, je me demande aussi si j'ai le droit d'intervenir et s'il n'y a pas trop d'intérêts humains en jeu qui m'échappent, et si le Dieu qui trône au ciel n'a pas des visées particulières sur tous ces gens qu'il envoie dans le pays? Et moi-même je me sens perdu dans Sa main.

« Que dois-je faire?

« L'or porte malheur; si j'y touche, si je le poursuis, si je revendique ce qui m'en revient de plein droit, est-ce que je ne vais pas être maudit à mon tour, comme tant d'autres et selon les exemples que j'ai sous les yeux et dont je vous ai déjà parlé?

« Dites-moi ce que je dois faire? Je suis prêt à tout. Disparaître. Abdiquer. Je puis aussi me remettre au travail et seconder efficacement Victor et Arthur qui s'en tirent fort bien. Je puis faire rendre le maximum à mes fermes, métairies, plantations, entreprendre de nouvelles cultures, exténuer de travail mes Indiens et mes Canaques, me lancer dans de nouvelles spéculations, en un mot faire l'argent nécessaire au procès et aller jusqu'au bout de mes forces. Mais est-ce bien nécessaire? J'ai le mal du pays. Je pense à notre beau petit canton de Bâle et je voudrais y rentrer. Dieu, ce que vous êtes heureux, mon bon monsieur Martin, de pouvoir rester chez vous. Je puis vendre les deux fermes et l'Ermitage, tout liquider, revenir et établir les enfants en Suisse. Dois-je le faire ou ne serait-ce pas déserter et ai-je le droit d'abandonner ce pays auquel j'ai donné la vie et qui, je le sens, me ravira la mienne? Dites-moi ce que je dois faire, mon cher monsieur Martin Birmann, je suivrai vos conseils à la lettre et vous obéirai en tout, aveuglément.

« Je m'adresse à vous parce que le padre Gabriel m'a parlé de vous quand il est venu à la ferme enterrer pieusement ma pauvre Anna. Il m'a dit vous avoir connu dans son enfance. Je crois qu'il est originaire de votre village; à ce que j'ai toujours entendu dire, il doit s'appeler März, mais je n'en suis pas trop sûr, car il est aussi secret que les Indiens auxquels il s'est voué corps et âme, et il ne parle jamais des siens, sauf cette fois-là pour me dire qu'il se souvenait très bien de vous. Autrefois, quand je guerroyais à la frontière, je n'avais pas de pire ennemi que lui; il m'en voulait, en tant que compatriote, de mon établissement où je faisais travailler les Indiens et venir les Canaques, mais, par la suite, il a compris que sans eux je n'aurais jamais pu rien entreprendre et qu'eux de leur côté n'auraient plus pu vivre sans moi, abandonnés qu'ils étaient des Mexicains; quant aux Canaques, je n'ai jamais été un méchant homme, le padre Gabriel a pu s'en rendre compte; aussi, au moment de mon grand malheur, lui seul s'est rapproché de moi alors que tous m'abandonnaient, et depuis il m'est resté fidèle, et c'est encore grâce à lui que mes enfants peuvent maintenant faire un établissement. C'est un saint, que Dieu le prenne en Sa Sainte Garde.

« Ainsi que vous-même, cher monsieur Martin Birmann, qui avez été un père pour mes enfants durant un si grand nombre d'années et qu'un père implore aujourd'hui à son tour au nom de ces mêmes enfants : que dois-je faire?

« Ainsi soit-il.

« Votre frère en Jésus-Christ.

« Johann August Suter, capitaine. »

47

Johann August Suter n'a pas attendu la réponse du bon petit vieux Martin Birmann, avoué de son métier et trésorier bénévole de la communauté des Jeanbaptistes, en son petit village de Botmingen, en Bâle-Campagne.

Johann August Suter a commencé le procès.

Son procès.

Un procès qui révolutionna toute la Californie et qui faillit mettre en jeu l'existence même de ce nouvel État. Tout le monde se passionne et y prend part. Tout le monde y est directement intéressé.

Johann August Suter revendique avant tout la propriété exclusive des terrains sur lesquels sont édifiées des villes comme San Francisco, Sacramento, Fairfield et Riovista. Il a fait estimer ces terrains par une commission d'experts et réclame 200 millions de dollars. Il poursuit 17 221 particuliers qui se sont installés dans ses plantations, les somme de vider les lieux et demande des dommages et intérêts. Il réclame 25 millions de dollars au gouvernement de l'État de Californie pour s'être approprié les routes, voies, canaux, ponts, écluses, moulins, appontements et aménagements de la baie et pour les avoir mis à la disposition du public, et une indemnité de 50 millions de dollars au Gouvernement de Washington qui n'a pas su maintenir l'ordre public au moment de la découverte des mines d'or, ni endiguer le rush, ni maîtriser les troupes fédérales qu'il envoyait dans la région et qui, désertant par bandes, se trouvèrent être le principal élément de désordre et parmi les plus hardis pilleurs, ni prendre des mesures opportunes pour encaisser ce qui revenait à l'État et à lui, Suter, de la production des mines. Il pose en principe la question de ses droits sur une partie de l'or extrait jusqu'à ce jour et demande qu'une commission de juristes statue immédiatement sur la part qui lui est due de l'or qu'on extraira à partir de ce jour. Il ne réclame aucune sanction personnelle contre qui que ce soit, ni contre les autorités qui se sont montrées au-dessous de leur tâche en ne faisant pas respecter la Loi, ni contre les officiers de police incapables de défendre l'ordre public, ni contre les fonctionnaires prévaricateurs. Il n'en veut à personne, mais demande justice, tout simplement, et s'il fait appel à la Loi, il met toute sa confiance en la jurisprudence.

Émile est revenu de la Faculté et s'occupe exclusivement de cette monstrueuse affaire. Il s'est entouré des quatre plus éminents jurisconsultes de l'Union. Une nuée d'avoués, de scribes l'entoure dans ses bureaux, au coin de Commercial Street et de la Plaza Mayor, en plein San Francisco.

Les villes se défendent. San Francisco, Sacramento, Fairfield, Riovista, les plus petites communes nomment et appointent des avocats-conseils à vie, uniquement pour s'occuper de cette seule affaire et pour s'opposer de toutes leurs forces et à tout prix aux prétentions de Suter; les particuliers se groupent, constituent des syndicats de défense, remettent leurs intérêts entre les mains des plus fameux avocats de l'est qu'ils font venir à prix d'or. Le juriste fait prime. On s'arrache tout ce qui de près ou de loin touche à la basoche.

Dans tout l'immense territoire des États-Unis on ne trouve plus un seul avocat sans cause, ni un seul homme de loi qui batte la dèche dans les bars. Avoués, notaires, huissiers, commis, stagiaires, scribouillards se ruent en Californie où ils s'abattent pêle-mêle avec les chercheurs d'or internationaux dont l'afflux n'est point terminé. C'est un nouveau rush, une mine inespérée, et tout ce monde veut vivre de l'affaire Suter.

48

Pendant ce temps, Johann August Suter ne met pas une seule fois les pieds dans la capitale. Il reste sur ses terres et il a retrouvé toute son énergie et toute son activité d'antan. Il met toutes ses facultés en branle et fait flèche de tout bois.

Car il lui faut de l'argent, de l'argent et encore de l'argent pour payer toute cette paperasserie.

Son procès.

Ce procès qui se déroule en plein San Francisco, la ville maudite que Suter n'a pas encore vue.

49

Quatre années se passent pendant lesquelles l'affaire suit son cours devant les tribunaux.

Suter arrive à pourvoir aux frais insensés de son procès.

Toutes ses entreprises prospèrent. Ses métairies de Burgdorf et de Grenzach fournissent San Francisco en lait, beurre, fromage, œufs, poulets, légumes. A l'Ermitage, il inaugure l'industrie des fruits en conserve. Ses scieries débitent les planches et les bois de construction qui entrent dans l'édification des innombrables nouveaux villages. Il a une fabrique de clous, une autre de crayons. Il installe une fabrique de papier. Il recommence ses acréages de cotonniers et songe à monter une filature.

Les habitants du pays qui lui doivent déjà tout, suivent avec terreur les progrès de cette nouvelle fortune et la montée de cette puissance menaçante. Suter est impopulaire. Suter est haï, mais Suter n'en a cure. On ne peut se passer de ses produits et il pressure le monde tant qu'il peut. « Ils rendront gorge, ils rendront gorge, ces sales bougres, et ce sont eux-mêmes qui paieront les frais de mon procès », a-t-il coutume de dire en montant une nouvelle affaire dont il escompte d'avance les bénéfices. Cependant, par une étrange contradiction, cet homme, qui a de si prodigieux besoins d'argent, ne distille pas et ne lave pas l'or. Au contraire, il est en rapports étroits avec des sectes religieuses de Philadelphie et mène une ardente campagne de tempérance parmi les Indiens, les Blancs et les Jaunes (c'est à l'eau-de-vie qu'il en veut et non au vin, dont l'énorme quantité consommée dans le pays provient exclusivement de ses vignobles); quant aux chercheurs d'or qui s'égarent maintenant chez lui, il les fait abattre impitoyablement, ils sont maudits. S'il ne l'ouvre plus guère, l'*Apocalypse* est toujours au fond de sa poche, car malgré sa folle énergie, il reste une grande crainte au fond de son âme et, devant Dieu, il n'est pas trop sûr de ses droits.

Vers la fin de la quatrième année, ses adversaires lui portent un premier coup terrible. Les bureaux de son fils Émile sont incendiés et tout le bas peuple de San Francisco danse autour du foyer comme autour d'un feu de joie. Le pays entier jubile en apprenant que les principales pièces du procès sont détruites, notamment les originaux des actes de donation des gouverneurs Alvarado et Michel-Torena. A cette nouvelle les nouveaux colons installés sur ces terres sont ravis et les habitants des villes et des villages font des manifestations aux cris de : « Les loups sont traqués! Le vieux loup est pris! »

Apparemment, Johann August Suter reçoit ce coup sans broncher, mais s'il redouble d'industrie et s'il donne ordre d'activer, d'activer son procès, il sent au fond de lui ses forces fléchir secrètement et son inquiétude grandir.

C'est encore un coup du Tout-Puissant.

O Dieu!...

Je n'ai plus la force de me plaindre. Je ne proteste pas. Je n'arrive pas à me résigner. Faites de moi ce que vous voulez.

Luttons.

CHAPITRE XIII

50

Le 9 septembre 1854, le peuple de la Californie en entier est soulevé d'enthousiasme.

On célèbre le quatrième anniversaire de l'entrée de la Californie dans l'Union et le cinquième anniversaire de la fondation de la ville de San Francisco.

Depuis 15 jours déjà la foule arrive par toutes les routes et de tous les coins du pays. La capitale est décorée de guirlandes et de lampions; la « Star Spangled Banner » flotte aux fenêtres, au faîte des édifices et sur toutes les collines circonvoisines. La nuit, les feux d'artifice montent, les fontaines lumineuses pétaradent, les salves de mousqueterie et d'artillerie retentissent sans discontinuer. Les théâtres ne désemplissent pas, le Théâtre de Jenny Lind qui a la première façade en pierres et le Théâtre Adelphia, où paradent des histrions français. Au coin de toutes les rues les tribunes des démagogues sont entourées d'un peuple immense et les orateurs enlèvent leur auditoire à l'énoncé de l'avenir prodigieux qui attend ce nouveau pays et cette ville nouvelle. Toute cette jeune nation communie en un seul sentiment de force et de puissance, un sentiment d'ardent patriotisme pour l'Union.

Les bars sont pris d'assaut et les saloons réputés ne désemplissent pas; et c'est des Arcades, de la Belle-Union, de L'Eldorado, de La Polka, de La Diana que partent les enthousiasmes populaires qui déchaînent les manifestations en l'honneur de Johann August Suter. Des comités se constituent, des délégations se forment, des colons, des planteurs, des ouvriers, des chercheurs d'or, des femmes, des enfants, des soldats, des marins, des mercantis se rendent en foule à l'Ermitage, acclament Suter sous ses fenêtres, l'invitent, le font prisonnier, l'entraînent de force et le ramènent triomphalement en ville.

Sur sa route on salue partout le vieux pionnier, « l'Ancêtre ». Toute la population de San Francisco s'est portée à sa rencontre. Le canon tonne, les cloches sonnent, des chœurs célèbrent son apothéose. Les hommes agitent leur chapeau, les femmes leur mouchoir en faisant pleuvoir des bouquets de fleurs des balcons. Des grappes humaines sont suspendues dans le vide qui applaudissent, poussent des cris et des hourras.

A l'Hôtel de Ville, le maire Kewen, entouré des plus

hauts fonctionnaires fédéraux et de l'État, remet solennellement à Johann August Suter un diplôme de général.

Puis c'est le défilé en ville.

C'est la plus grande fête qui ait jamais été célébrée sur les rives du Pacifique.

Tous les yeux sont fixés sur ce grand vieillard qui chevauche à la tête des troupes.

Johann August Suter monte un grand cheval blanc. Il tient à la main son bâton de général. Derrière lui viennent ses trois fils, puis le premier régiment californien, puis l'artillerie montée et la cavalerie légère.

51

Le général Johann August Suter défile dans les rues de San Francisco à la tête des troupes.

Il est sanglé dans une redingote noire qui lui est trop étroite et dont les longs pans flottent sur la croupe de sa monture. Il porte un pantalon à carreaux et des grosses bottes à soufflet. Un feutre à larges bords est enfoncé sur son crâne.

Le général Johann August Suter traverse la ville en proie à une étrange émotion. Ces ovations, ces vivats, ces gerbes de fleurs qui tombent sous ses pas, ces cloches, ces chants, ce canon, ces fanfares, cette multitude, ces fenêtres pleines de femmes, ces maisons, ces édifices, ces premiers palais, ces rues interminables, tout lui paraît irréel. Il n'y a pas six ans qu'il vivait encore ici au milieu des sauvages, entouré de ses Indiens et de ses Canaques des Iles.

Il croit rêver.

Il ferme les yeux.

Il ne veut plus rien voir, plus rien entendre.

Il se laisse mener.

Le cortège l'entraîne au Metropolitan Theatre où un banquet monstre l'attend et une cinquantaine de discours.

52

Extrait du discours de Kewen, premier maire de San Francisco :

« ... Ce pionnier, plein d'un grand courage et poussé par un étrange pressentiment, se détache des beaux souvenirs de sa jeunesse, s'arrache aux charmes de son foyer, abandonne le cercle familial, quitte sa patrie pour venir, par des sentiers insoupçonnés, se jeter dans le pays des aventures et des dangers. Il traverse des plaines arides sous un soleil de feu, il franchit des montagnes, des vallées, des chaînes rocheuses. Malgré la faim, la fièvre, la soif, malgré les sauvages sanguinaires qui lui dressent des embuscades et sont à son affût dans la prairie, il passe outre, les yeux fixés sur cet endroit du ciel où le soleil plonge tous les jours dans la mer de l'Ouest. Ce point l'attire comme le voyageur dans les Alpes de sa belle patrie qui ne quitte pas des yeux le sommet de la montagne recouvert de neiges éternelles, qui franchit les abîmes et les glaciers, et qui ne pense qu'au panorama grandiose et à l'air pur et vivifiant que l'on trouve sur ces hauteurs.

« Et comme autrefois Moïse au sommet du Pisgah, c'est ainsi qu'il est debout sur la crête neigeuse de la Sierra, et son œil s'éclaire et son âme se réjouit : son regard découvre enfin la Terre promise. Mais, plus heureux que le législateur d'Israël, il lui est donné de pénétrer dans ce pays, et il y descend armé d'un nouveau courage et d'une force fraîche qui lui font braver la solitude et les privations, et lui permettent de dédier à Dieu ce nouveau pays qu'il vient de découvrir, à Dieu, à la Liberté et à sa chère patrie, l'Helvétie.

« Dans l'Histoire des siècles écoulés et des peuples disparus il y a des noms de grands hommes qu'on ne peut jamais oublier. Epaminondas, vertu et amour de la patrie, rayonne comme une gloire sur l'histoire de la délivrance de Thèbes. Hannibal, le courageux, qui mena ses armées victorieuses par-dessus les Alpes et foula le sol classique d'Italie, survivra longtemps à l'histoire de Carthage. En nommant Athènes on nomme ses divins fils, et le nom de Rome est consacré par la gloire d'hommes illustres. Ainsi, dans les temps futurs, quand la plume de l'historien voudra tracer l'origine et la fondation de notre chère Patrie, qui sera alors un des plus puissants pays du monde, quand cette plume voudra décrire la misère et les privations du début et raconter la lutte pour la liberté de l'Ouest, un nom rayonnera au-dessus de tous : c'est celui de l'immortel SUTER ! »

53

Les discours se succèdent.

Le général Suter est absent, perdu dans sa rêverie.

Des tonnerres d'applaudissements ébranlent les voûtes de l'immense salle de spectacle.

10 000 voix clament son nom.

Suter n'entend pas.

Il joue nerveusement avec l'anneau qu'il porte au doigt, le tourne, le change de doigt et se répète à mi-voix l'inscription qu'il y a fait graver :

— LE PREMIER OR —
DÉCOUVERT EN JANVIER 1848

CHAPITRE XIV

54

Comme la fin de l'année 1854, le début de l'année 1855 marque un nouveau triomphe pour Johann August Suter.

Le 15 mars, le juge Thompson, le plus haut magistrat de Californie, rend sa sentence dans l'affaire Suter.

Il reconnaît le bien-fondé de la demande de Suter, reconnaît comme légales et inviolables les donations faites par les gouverneurs mexicains et déclare que tous ces immenses territoires sur lesquels se sont édifiés tant de villes et de si nombreux villages sont la propriété indiscutable et personnelle de Johann August Suter.

Cette sentence et les attendus de ce jugement forment un petit volume de plus de 200 pages.

55

C'est Jean Marchais qui apporte à l'Ermitage la première nouvelle de la sentence. Suter était en train de lire une brochure sur l'élevage des vers à soie.

Immédiatement il saute sur sa redingote qu'il brosse lui-même à tour de bras. Ce jugement est en somme dirigé contre les États-Unis, il s'agit de faire vite et d'en obtenir rapidement confirmation de la plus haute cour fédérale. Il n'y a pas une minute à perdre. Par une sorte d'amour-propre enfantin, Suter tient à arriver à Washington avant le courrier officiel porteur de la sentence. Il se présentera personnellement à la Cour.

Ce Thompson, quel brave homme, se dit-il, en passant sa belle chemise brodée. Dieu, je n'ai jamais douté de Vous, dit-il encore en enfilant ses grosses bottes.

Je Vous remercie, je Vous remercie, prononce-t-il à haute voix.

Maintenant il boutonne ses manchettes, boucle le lourd ceinturon de son revolver. Enfin, on me rend justice.

Justice!

Il met son grand chapeau de feutre et se regarde dans la glace.

Il est heureux et sourit peut-être pour la première fois de sa vie.

Il éclate de rire à la pensée de la niche qu'il va jouer au courrier officiel en arrivant avant lui à Washington et en apportant lui-même la grande nouvelle! Dieu, quel coup de foudre! Je vais prendre par les sentiers de la Sierra; en passant, j'annoncerai la chose au père Gabriel. Encore un brave homme. C'est lui qui va être content, et Shanon n'a qu'à bien se tenir. Maintenant ça va barder et nous allons faire la loi chez nous. Bill, Joë, Nash vont m'accompagner, cela suffit. Je m'arrêterai chez les Mormons et par le Nebraska, le Missouri, l'Ohio, j'arriverai à Washington en trombe. Il faut que mes trois Indiens m'accompagnent jusqu'à la capitale fédérale et nous nous présenterons à cheval. A moins que les Mormons me mènent par la Platte-River et que je prenne le train, on dit qu'il arrive déjà à Des-Moines.

Ah! les braves gens, les braves gens...

Dans sa hâte, il ne prévient même pas ses fils de son départ et ce n'est qu'en sautant en selle qu'il crie à Mina accourue des basses-cours : « Dis aux garçons que je vais à Washington. Nous avons gagné, nous avons gagné. L'affaire est finie. Préviens-les. Envoie-leur Marchais. Enfin ça y est. Au revoir, ma belle, à bientôt! »

Et il s'élance ventre à terre sur la piste de la Sierra suivi de ses trois Indiens.

Johann August Suter abandonne tout.

Il tient sa sentence.

56

La petite troupe a galopé toute la journée, et toute la nuit et toute la journée suivante. C'est à peine si l'on a laissé respirer les bêtes. La deuxième nuit, sur les trois heures du matin, Suter et ses trois Indiens débouchent des grandes forêts et atteignent le poste de la Mission que le padre a édifié à l'entrée du col. La nuit est noire. Il n'y a pas une étoile au ciel. De lourds nuages franchissent la crête de la Sierra. Hommes et chevaux sont fourbus.

Le père Gabriel est debout sur le bord d'une terrasse de pierres qui étaie sa petite chapelle. Des Indiens, hommes, femmes, enfants, l'entourent. Tous regardent dans la même direction. L'horizon nord-ouest est embrasé. Une grande lueur envahit le ciel lourd et bas.

– Dieu soit loué! c'est toi, capitaine? s'écrie le père Gabriel.

– Général! général! clame Suter en sautant de

cheval. Ils m'ont bombardé général. Maintenant, c'est fini, j'ai gagné. Le juge Thompson m'a donné raison. J'ai gagné mon procès. L'affaire est dans le sac. Je vais de ce pas à Washington faire enregistrer la sentence. Le pays est à nous. Nous allons pouvoir travailler. Tout va marcher droit.

– Dieu soit loué! reprend le père Gabriel, j'étais inquiet pour toi, regarde cette grande lueur là-bas.

Suter regarde.

Là-bas, tout là-bas, une grande lueur embrase le ciel et rougeoie par intermittence. Ce n'est pas un incendie de forêt, car c'est tout là-bas dans la plaine; ce n'est pas la prairie qui brûle, on n'est pas en été et la grande sécheresse est encore loin; ce ne sont pas non plus des terres que l'on flambe, car les travaux des champs ne sont pas encore commencés. Et cette direction, en plein nord-ouest! Il n'y a pas de doute, c'est l'Ermitage!

– Ah! les salauds!

Suter enfourche son cheval, tourne bride et rentre ventre à terre à la maison.

57

La sentence du juge Thompson est à peine connue du public qu'elle ameute la ville entière. Des groupes se forment au coin des rues, et les bars et les saloons sont envahis par une foule de buveurs vociférant. Des discussions violentes éclatent. Des orateurs s'improvisent. Les distillateurs offrent à boire gratuitement, défoncent des tonneaux d'eau-de-vie sur les marchés. L'attitude des gens devient menaçante. Suter a trop d'ennemis. Des émissaires de la partie adverse excitent le peuple et tous les hommes de loi qui avaient partie liée contre lui, provoquent des rassemblements et des échauffourées. Des meetings ont lieu dans tous les quartiers. Le soir, des émeutes éclatent dans San Francisco. On incendie le Palais de Justice, on démolit le Greffe, on détruit les Archives, on prend les prisons d'assaut. La populace veut lyncher le juge Thompson. Le lendemain, tout le pays est en révolution et aussitôt des bandes s'organisent.

Les autorités sont impuissantes.

Ce peuple qui venait à peine d'acclamer le général Suter, qui était venu le chercher, qui l'avait porté en triomphe, qui lui avait fait une réception, une apothéose uniques dans l'histoire des États-Unis, se dirige encore une fois vers l'Ermitage; mais c'est pour l'attaquer. Ils sont une dizaine de mille et leur troupe grossit sans cesse en cours de route. Les hommes sont armés et des camions charrient des barils de poudre à canon. Le drapeau étoilé flotte sur cette multitude désordonnée et c'est aux cris de : « Vive l'Amérique! », « Vive la Californie! » que tout est pillé, saccagé, détruit de fond en comble.

L'Ermitage est incendié, on fait sauter les manufactures, les usines, les scieries, les ateliers, les moulins, on coupe les arbres fruitiers, on perfore les canalisations d'eau, les troupeaux sont massacrés à coups de fusils et les Indiens, les Canaques, les Chinois que l'on peut attraper sont pendus haut et court. Tout ce qui porte l'estampille, la marque de Suter disparaît. On met le feu aux plantations, on ravage les vignobles. Enfin on s'attaque aux caves et aux réserves de vins. Et la fureur destructrice de cette foule devient enragée, elle tue, elle casse, elle brûle, elle pille, et son acharnement est tel qu'elle abat jusqu'aux volailles par feux de salves commandés. Puis l'on monte à Burgdorf et à Grenzach, où tout est également nivelé, abrasé, réduit en cendres. On scie les écluses, on défonce les routes, on fait sauter les ponts.

Ruines et cendres.

Quatre jours après son départ, quand Suter revient chez lui, il ne subsiste plus rien de son immense entreprise.

Des maigres fumées montent encore des décombres. Des nuées d'urubus, de vautours, de corbeaux à bec rouge se disputent les charognes des chevaux et des bestiaux éparses dans les champs.

A la maîtresse branche d'un figuier sauvage se balance la carcasse de Jean Marchais.

Cette fois-ci tout est perdu.

Pour toujours.

58

Suter contemple ce désastre d'un œil morne.

Johann August Suter est accablé. Sa vie, sa misère, ses privations, son énergie, sa volonté, son endurance, son travail, sa persévérance, ses espoirs, tout a été inutile. Ses livres, ses papiers, ses instruments, ses armes, ses outils, ses peaux d'ours et de pumas, ses fourrures, ses défenses de morses, ses fanons de baleine, ses oiseaux empaillés, ses collections de papillons, ses panoplies indiennes, ses échantillons d'ambre gris, d'ambre véritable, de sable aurifère, de pierres précieuses, de minerais de toutes sortes forment un tas de cendres chaudes.

Tout ce qu'il a de plus cher, tout ce qui représente la vie et l'orgueil d'un homme s'est envolé, cendres et fumée.

Le général Johann August Suter ne possède plus rien en propre, sauf ce qu'il a sur le dos, son viatique de voyage et son *Apocalypse* en poche.

Lui qui pensait devenir l'homme le plus riche du monde!

Il pleure longuement sur lui-même. Il est brisé.

59

Et tout à coup il pense à ses enfants.

Où sont-ils? que sont-ils devenus?

Alors il erre dans la contrée, va de ferme en ferme, de village en village. Partout on ricane, on se moque de lui, on le nargue. Des gens l'insultent. Les enfants lui jettent des pierres.

Suter fait le gros dos, ne dit rien, encaisse tout, avanies et méchancetés.

Il se sent énormément coupable.

Il bredouille une prière : « Notre Père qui êtes aux Cieux... »

Il tombe en enfance.

C'est un pauvre vieux.

60

Des mois se passent avant que sa triste errance le mène à San Francisco.

Il pénètre en ville sans que personne ne le reconnaisse. Lui a peur des grandes maisons qui jaillissent de partout, des rues qui s'entrecroisent, des véhicules rapides, des gens affairés qui le bousculent. Il a surtout horreur de la face humaine et il craint de lever les yeux.

Le malheur s'acharne sur sa personne.

Il couche sur le port et mendie dans les quartiers excentriques. Il fait de longues stations sur le terrain vague où s'élevaient hier, encore, les bureaux de son fils l'avocat.

Un jour il entre machinalement chez le juge Thompson. Il y trouve sa fille qui a été recueillie là. Mina est alitée, elle souffre d'un ébranlement nerveux et éprouve des difficultés à s'énoncer.

On lui donne également des nouvelles de ses fils. Victor s'est réembarqué pour l'Europe. Arthur a été tué en défendant sa ferme. Quant à Émile, l'aîné, l'avocat, celui qui avait toute l'affaire en main, celui qui a fait le procès de l'or, il s'est suicidé dans un bouge.

Comme Suter est complètement sourd, il se fait répéter deux fois cette pénible histoire.

« Que Ta volonté soit faite. Ainsi soit-il. »

CHAPITRE XV

61

Au pied des Twin Peaks s'élève une grande maison blanche dont le fronton et les colonnes ioniques sont en bois. Elle est entourée d'un grand parc et de cultures de fleurs. C'est la maison des champs du juge Thompson, il y passe volontiers en fin de semaine, inspectant ses jeunes roseraics, un Plutarque sous le bras. C'est dans cette retraite que Suter revient peu à peu à la vie et reprend conscience.

Ses jambes sont molles, et il a énormément grossi. Des mèches blanches tombent sur ses épaules arrondies. Son côté gauche est agité d'un léger tremblement. Ses yeux larmoient.

Mina s'est rapidement remise de sa grande frayeur, les soins maternels de Mme Thompson et sa jeune nature ont suffi pour la rétablir. Elle s'est fiancée à

Ulrich de Winckelried, un jeune dentiste; la noce est fixée pour la Noël, aussi est-elle dans la joie et ne peut supporter la vue et la présence de son vieux père détraqué. C'est pourquoi elle reste en ville, chez les Thompson, ces braves gens, si simples, si gais, si humains, qui la guident et la conseillent pour monter son jeune ménage.

Johann August Suter est encore une fois tout seul.

62

Il va et vient sous les arbres ou reste des heures en contemplation devant une rose à peine éclose. Il ne parle jamais à personne. Parfois il se plante tout de go devant un des jardiniers, esquisse un geste comme pour lui demander quelque chose et lui tourne le dos et s'en va sans avoir desserré les dents. Le vent agite les basques de sa redingote. Les allées les plus désertes se referment sur lui. Au loin, on entend gronder la houle du Pacifique.

Deux fois par semaine le juge Thompson vient voir le général.

63

Seul dans l'immense territoire des États-Unis, seul le juge Thompson comprend et s'apitoie sur le sort du général. Thompson est un esprit juste, pondéré, éclairé, qui remplit ses fonctions en toute indépendance. Comme il a fait de solides études de grec dans sa jeunesse, il a conservé l'amour des belles-lettres, une façon de raisonner qui le porte facilement vers la grandeur et un goût des déductions logiques, désintéressées qu'il sait mener jusqu'au bout. Une propension naturelle de son esprit l'entraîne à la contemplation. Aussi saisit-il la tragédie de la vie de Johann August Suter.

Il a pris tous les intérêts du général en main, il a revu toute l'affaire et a passé des nuits entières penché sur les dossiers. Il n'a rien à se reprocher. Sa sentence a été rendue en pleine connaissance de cause, selon sa conscience d'homme et de haut magistrat : en toute équité, il s'est prononcé selon la lettre et l'esprit de la loi. Mais, mais... Aujourd'hui il comprend qu'il ne s'agit pas tant de la loi que de sauver un homme, un vieillard, et il agit selon son cœur. Et quand il vient voir le général, il s'acharne à lui prêcher raison.

En attendant il l'héberge et lui fait donner les soins que son état réclame.

64

– Écoutez, général, vous avez assez souffert, ne vous entêtez pas dans cette affaire qui vous a porté malheur. Voici ce que vous allez faire, j'y ai longuement réfléchi. Vous abandonnez toute poursuite vis-à-vis des particuliers. Vous abandonnez tous vos droits de propriétaire sur des terrains qui sont passés depuis longtemps en d'autres mains et qui sont aujourd'hui nouvellement enregistrés; vous abandonnez définitivement toute idée de toucher jamais quoi que ce soit sur l'or extrait ou à extraire, croyez-moi, l'État et le Gouvernement eux-mêmes ne toucheront jamais rien là-dessus; déclarez-vous prêt à traiter, mettons pour, pour un million de dollars payés comptant à titre d'indemnité et je me fais fort de vous les faire obtenir. Si vous tenez absolument à travailler, vous pouvez également demander de nouveaux territoires et vous les aurez facilement, vous savez bien que ce ne sont pas les terres qui manquent chez nous et, Dieu merci, il y a encore de la place pour beaucoup de monde ici; mais ne continuez pas cette affaire qui ne vous mènera à rien. Vous savez bien qu'il y a trop d'intérêts privés en jeu et que tout le monde intrigue contre vous à Washington. Croyez-moi, passez la main.

– Juge Thompson, lui répond invariablement le général, juge Thompson, vous avez jugé selon votre conscience et vous avez prononcé votre sentence. Et aujourd'hui vous me parlez argent. Dites-moi, qu'est-ce que je réclame? Je réclame justice, pas autre chose. Il faut que la plus haute instance de ce pays dise si vous avez eu tort ou raison. Et elle se prononcera. D'ailleurs ce n'est pas aux hommes que j'en appelle, mais à Dieu. Il faut que j'aille jusqu'au bout de cette affaire, car si on ne me rend pas justice en ce monde, ça m'est une consolation de penser qu'elle me sera rendue au ciel et que je serai un jour à la droite du Seigneur.

– Mais songez à vos enfants, à Mina qui va se marier et que vous allez être grand-père.

– Juge Thompson, un homme comme moi est maudit et n'a pas d'enfants. C'est bien la seule erreur de ma vie. Arthur a été tué, Émile s'est suicidé, vous m'avez annoncé vous-même que Victor devait être considéré comme mort puisqu'il a disparu durant le naufrage du *Golden Gate,* à la sortie du détroit de Magellan, au large, en pleine mer. Je ne ferai pas de tort à Mina en allant jusqu'au bout de cette affaire, puisque je n'ai plus rien et que je ne lui donne rien;

par contre si je gagne, j'aurai travaillé pour mes petits-fils et mes arrière-petit-fils et pour sept fois sept générations.

– Mais de quoi allez-vous vivre?

– Dieu, qui m'a tout pris, pourvoira à mes besoins comme il nourrit l'oiseau des champs.

– Je vous en supplie, ne partez pas; vous pouvez rester ici tant que vous voudrez.

– Si, si, j'irai à Washington, à la Noël, dès que Mina sera mariée. On verra bien s'il y a des juges à Washington.

65

Mina a épousé son dentiste et le général est parti pour Washington à la Noël, comme il l'avait toujours dit. Il est muni d'une recommandation du maire de San Francisco, et dans sa poche la sentence du juge Thompson voisine avec le petit volume de l'*Apocalypse*. Thompson a également obtenu du Gouvernement de l'État une pension pour le vieux général, une pension à vie de 3 000 dollars par an.

CHAPITRE XVI

66

Des années se passent. Tout Washington connaît le général, son grand corps mou, ses pieds qui se traînent dans des bottes éculées, sa redingote tachée et saupoudrée de pellicules, sa grosse tête chauve qui branle sous son grand feutre défoncé. Tout Washington le connaît et tous les bureaux.

D'abord, il a été assez mal reçu grâce aux intrigues ourdies par ses ennemis. Mais depuis, tant d'années se sont passées et il y a belle lurette que nombre de ses adversaires sont morts et que les fonctionnaires ont été transférés. Aujourd'hui personne ne sait plus au juste ce qu'il veut, ce vieux fou, vous savez bien, ce vieux général qui a fait la guerre du Mexique et qui radote au sujet de mines d'or. Il a sûrement du plomb dans la tête, un gros grain. Et le grand jeu des bureaux est de se l'adresser de service en service et de porte en porte. Le général connaît tous les détours du Palais de Justice et tous les escaliers des ministères; il va, il vient, il monte, il descend, il frappe, il heurte, il attend patiemment derrière les portes, il parcourt des milliers de lieues, il revient des milliers de fois sur ses pas, pris comme dans une souricière.

Mais il ne désespère pas.

67

Pendant toutes ces années, Johann August Suter a vécu de sa pension de général. Vécu est une façon de parler, car en réalité sa pension a été mangée tous les ans par des avocats marrons, des hommes d'affaires véreux, des employés subalternes des ministères qui tour à tour se sont fait forts de lui faire gagner son procès.

En 1863, un jeune escroc danois arrivé la veille de New York, et qu'il a rencontré dans une assemblée religieuse, lui prend ses papiers, le présente le lendemain à un compère qui se fait passer pour le secrétaire du ministre de la Justice. Les deux aigrefins s'emparent complètement du pauvre homme. Suter écrit au juge Thompson que son affaire est entre les mains de Dieu et que c'est le ministre en personne qui va plaider sa cause, et il demande 10 000 dollars pour le ministre. Mina, à qui il a également écrit, lui envoie 1 000 dollars. Il réussit à se faire délivrer et envoyer de Suisse la maigre dot de sa défunte femme. Tout l'argent qu'il ramasse s'en va aux deux filous qui disparaissent un beau matin, quand ils voient qu'ils ne peuvent plus rien tirer du vieux.

Et bien souvent encore des vrais et des faux avocats viennent le trouver, se font exposer son affaire et lui font signer des tas de papiers par lesquels Suter se désiste du quart, de la moitié, des trois quarts et même de tout en cas de succès, car que lui importe l'argent, l'or, les terres, c'est la justice qu'il veut, un jugement, une sentence.

Les années se passent. C'est la pauvreté, la misère. Il fait toutes espèces de basses besognes pour vivre; il cire les bottes, fait des courses et des commissions, lave la vaisselle dans une gargote de soldats où son titre de général et son horreur du whisky l'ont rendu populaire. Mina lui envoie maintenant 100 dollars par mois et cet argent va à toutes espèces de racoleurs et d'intermédiaires qui savent le lui soutirer. Il donne jusqu'à son dernier dollar pour faire activer son procès.

En 1866, Suter se présente devant le Congrès et réclame un million de dollars comptant et la restitution de ses plantations. C'est un Juif polonais qui l'a poussé à cette démarche.

En 1868, Suter envoie une requête au Sénat. Il expose longuement les faits et il se contente de 500 000 dollars et de ses terres. Cette requête est l'œuvre d'un sergent voltigeur.

En 1870, dans une nouvelle requête adressée au Sénat et qui a été rédigée par un nommé Bujard, un photographe vaudois, Suter ne réclame plus que 100 000 dollars, renonce à toute autre indemnité, fait abandon de ses terres, s'engage à quitter le territoire des États-Unis, à rentrer en Suisse, où il s'établira dans le canton de Vaud, « ne pouvant, dit-il, après avoir été l'homme le plus riche du monde, rentrer en pauvre dans son canton et tomber à la charge de la commune de ses pères ».

En 1873, il entre dans la secte des Herrenhütter, confie son procès au conseil des Sept Vieillards Johannites et signe un acte par lequel il fait don de toute sa fortune éventuelle et de ses possessions californiennes à la confrérie, « afin que dans ces belles vallées la souillure de l'or soit effacée par la pureté adamiste ». Et le procès reprend à nouveau, mené cette fois-ci par un maître du barreau qui est à la fois le fondateur et le directeur de conscience de ce phalanstère communiste germano-américain.

Suter quitte Washington et va s'établir à Litiz, Pennsylvanie, pour être baptisé et purifié selon le grand rituel babylonien. C'est maintenant une âme toute blanche qui vit dans l'intimité du Seigneur.

68

Les Herrenhütter de Litiz sont établis dans un grand domaine où ils cultivent et exploitent en commun d'immenses étendues de blés. Ils possèdent également un puits de pétrole. Les sacs de blé et les barriques de pétrole sont exportés sur la côte et portent comme marque enregistrée l'Agneau pascal couché, tenant une bannière entre ses pattes. Sur la bannière se détachent, en gras et en noir, les initiales J.-C., non pas Jésus-Christ, mais Johannès Christitsch, fondateur-directeur et grand maître de la secte, au demeurant avocat serbe chicanier et redoutable, homme d'affaires roublard et entreprenant, qui est en train d'édifier une des plus grosses fortunes industrielles sur le dos de quelque quatre cents illuminés, presque tous d'origine allemande.

Les principaux articles de foi de ce phalanstère sont : la communauté des femmes et des biens, la sainteté régénératrice du travail, certaines règles de vie adamiste, le visionnarisme et la possession. Le seul évangile est l'*Apocalypse*. Aussi Suter devient rapidement célèbre dans la petite paroisse par la profonde connaissance qu'il a de ce livre et les commentaires personnels qu'il en donne.

69

La grande prostituée qui a accouché sur la Mer, c'est Christophe Colomb découvrant l'Amérique.

Les anges et les étoiles de Saint-Jean sont dans le drapeau américain, et avec la Californie, une nouvelle étoile, l'étoile d'Absinthe, est venue s'inscrire dans la bannière étoilée.

L'Ante-Christ, c'est l'Or.

Les bêtes et les satans sont les Indiens anthropophages, les Caraïbes et les Canaques. Il y a aussi les Nègres et les Chinois, les Noirs et les Jaunes.

Les trois cavaliers sont les trois grandes tribus Peaux Rouges.

Déjà un tiers des peuples d'Europe a été décimé dans ce pays.

Je suis un des vingt-quatre Vieillards, et c'est parce que j'ai entendu la Voix que je suis descendu parmi vous. J'étais l'homme le plus riche du monde, l'or m'a ruiné...

Une Russe extatique est couchée aux pieds de Suter

pendant qu'il commente les visions de Saint-Jean et raconte les épisodes de sa vie.

70

Mais Suter ne peut pas même s'adonner à sa douce folie.

Johannès Christitsch est son mauvais ange, Johannès Christitsch qui a repris le procès, Johannès Christitsch qui mène l'affaire, qui la pousse et qui veut la gagner coûte que coûte. Christitsch va toutes les semaines à Washington, il sollicite, intrigue, envoie du papier timbré, brandit des dossiers, fouille les archives, met au jour de nouveaux attendus, se démène tant qu'il remet en branle toute cette immense procédure. Très souvent il emmène Suter avec lui ou l'envoie seul en ville; et il le montre et il l'expose et il le fait parler. Il s'est fait son manager. Il a déniché un vieil uniforme de général dont il l'a affublé, il lui a même accroché quelques décorations sur la poitrine.

Et le martyre du général recommence de bureau en bureau, de ministère en ministère; de hauts fonctionnaires s'apitoient sur l'histoire de ce vieillard, prennent bonne note de son cas, lui promettent d'intervenir et de lui faire avoir satisfaction. Quand il est seul, des garnements l'arrêtent dans la rue et lui font raconter la découverte des mines d'or, et Suter s'embrouille, mêle l'*Apocalypse* et des anecdotes herrenhüttiennes à l'histoire de sa vie. Il est complètement détraqué, et tous les gamins de Washington connaissent la folie du général et s'amusent énormément.

Le vieux fou.

L'homme le plus riche du monde.

Quelle bonne blague!

71

En 1876, Johannès Christitsch a tant intrigué qu'il fait nommer Suter Président d'honneur de la section suisse à l'Exposition universelle de Philadelphie. Christitsch en profite pour se créer des relations consulaires, il songe à déclencher une action diplomatique pour faire activer l'affaire Suter.

En 1878, lui et Suter s'établissent définitivement à Washington. L'affaire est en bonne voie, de hautes personnalités politiques s'en occupent. Suter a comme un regain de raison, il s'est un peu apaisé et il est moins prolixe quand il discourt dans la rue.

Fin janvier 1880, Johann August Suter est convoqué au palais du Congrès et on lui apprend que le Gouvernement fédéral « va reconnaître ses services incessamment ». On trouve en haut lieu « son cas intéressant, que son affaire est juste et que ses prétentions n'ont rien d'exagéré ». On est prêt à lui accorder une grosse indemnité.

A partir de ce moment, Suter échappe complètement à l'emprise de Christitsch. Il est de nouveau très agité, fébrile. Il ne tient plus en place, erre jour et nuit dans les rues. Il va à tout instant au palais du Congrès. Il assiège les fonctionnaires à toute heure, demande s'il n'y a pas du nouveau, si le Congrès n'a pas encore rendu sa sentence. Il est impatient, il relance certains membres du Congrès jusqu'à leur domicile particulier, accompagné dans ces visites par une bande de vauriens qui ne quittent plus « leur » général et qui applaudissent quand Suter fait esclandre, car maintenant il devient facilement violent, menaçant, et sa petite bande de l'exciter encore. Le général est très fier de ses succès populaires. Dans son esprit, les enfants symbolisent l'armée des Justes.

Quand j'aurai gagné, je vous donnerai tout mon or, leur dit-il, de l'or qui me revient, de l'or juste, de l'or épuré.

L'or de Dieu.

72

Un jour, il croise dans la rue trois infirmiers qui mènent à l'asile un être immonde, sale, déguenillé. C'est un grand vieillard qui se démène furieusement, gesticule et crie fort. Comme il arrive à échapper à ses gardiens, il se précipite par terre, se rue dans la boue, s'en emplit la bouche, les yeux, les oreilles et fouille avidement avec ses mains les tas de crottin et d'ordures. Ses poches sont remplies de détritus innommables et sa besace est pleine de cailloux.

Pendant que les infirmiers le ligotent, le général regarde attentivement cet homme et le reconnaît tout à coup : c'est Marshall, le charpentier. Marshall aussi le reconnaît, et tandis qu'on l'entraîne, il lui crie : « Patron, patron, je vous l'avais bien dit, il y a de l'or partout, tout est en or. »

73

Par un chaud après-midi de juin, le général est assis sur la dernière marche de l'escalier monumental qui mène au palais du Congrès. Sa tête est vide comme celle de beaucoup de vieillards, c'est un rare moment de bien-être, il ne fait que chauffer sa vieille carcasse au soleil.

– Je suis le général. Oui. Je suis le général, ral.

Tout à coup un môme de sept ans dévale quatre à quatre le grand escalier de marbre, c'est Dick Price, le petit marchand d'allumettes, le préféré du général.

– Général! général! crie-t-il à Suter en lui sautant au cou, général! tu as gagné! Le Congrès vient de se prononcer! il te donne 100 millions de dollars!

– C'est bien vrai? c'est bien vrai? tu en es sûr? lui demande Suter tenant l'enfant étroitement embrassé.

– Mais oui, général, même que Jim et Bob sont partis, il paraît que c'est déjà dans les journaux. Ils vont en vendre! et moi aussi je vais en faire des journaux ce soir, des tas!

Suter ne remarque pas 7 petits voyous qui se tordent comme des gnomes sous le haut portique du Congrès et qui rigolent et font des signes à leur petit copain. Il s'est dressé tout raide, n'a dit qu'un mot : « Merci! » puis il a battu l'air des bras et est tombé tout d'une pièce.

Le général Johann August Suter est mort le 17 juin 1880, à 3 heures de l'après-midi.

Le Congrès n'avait même pas siégé ce jour-là.

Les gamins se sont sauvés.

L'heure sonne dans l'immense place déserte et comme le soleil tourne, l'ombre gigantesque du palais du Congrès recouvre bientôt le cadavre du général.

CHAPITRE XVII

74

Johann August Suter est mort à soixante-treize ans.

Le Congrès ne s'est jamais prononcé.

Ses descendants ne sont jamais intervenus, ont abandonné l'affaire.

Sa succession reste ouverte.

Aujourd'hui, 1925, et pour quelques années seulement, on peut encore intervenir, agir, revendiquer.

Qui veut de l'or? qui veut de l'or?

Paris, 1910-1922.
Paris, 1910-1911.
Paris, 1914.
Paris, 1917.
Le Tremblay-sur-Mauldre,
du 22 novembre 1924
au 31 décembre 1924.

VIE DE CENDRARS

Alors que l'œuvre de Cendrars se présente, pour l'essentiel, comme une vaste autobiographie, le rêve et la vie s'y mêlent si intimement qu'écrire sa biographie relève de la gageure. Entre les écueils de la légende et du démenti, on s'en tient donc aux points de repère indispensables.

1879 20 juin : mariage de Georges Frédéric Sauser (né en 1851) et de Marie Louise Dorner (née en 1850), à La Chaux-de-Fonds, en Suisse.

1887 1er septembre : naissance de Frédéric Louis Sauser (le futur Blaise Cendrars) à La Chaux-de-Fonds, dans une famille bourgeoise d'origine bernoise, mais francophone. Le père est un homme d'affaires instable. La mère, neurasthénique, néglige son cadet. Deux aînés : une sœur et un frère qui, sous le nom de Georges Sauser-Hall, deviendra un éminent juriste suisse.

1891 Enfance mal connue, mais itinérante : séjour à Héliopolis en Égypte ?

1894-1896 Séjour à Naples.

1897-1899 Pensionnat en Allemagne, puis Gymnase à Bâle. Fugues (?).

1901 Études à l'École de Commerce de Neuchâtel.

1904 Septembre : de mauvais résultats scolaires font envoyer Freddy en Russie, à Moscou, puis Saint-Pétersbourg, comme apprenti bijoutier chez le joaillier Leuba. Il y séjourne jusqu'en avril 1907 et en datera son « apprentissage en poésie ». Sur la fin, rencontre mal connue avec une jeune fille russe, Hélène Kleinmann.

1907 Avril : retour à Neuchâtel où il apprend la mort d'Hélène, brûlée vive le 11 juin, probablement par suicide. Désespoir de Freddy, aggravé par la mort de sa mère en février 1908.

Publication à Moscou, sous le nom de Frédéric Sauser et en russe, de *La Légende de Novgorod*, plaquette que Cendrars fera toujours figurer en tête de sa bibliographie mais considérée comme perdue jusqu'à sa découverte à Sofia, en 1995.

1908 Période mal connue. Séjour dans une clinique ?

1909 Études dispersées (médecine, littérature, musique) à l'université de Berne, où il rencontre Féla Poznanska, jeune Juive polonaise qui devient sa compagne. Lectures boulimiques (philosophie, histoire des sciences, patrologie latine...).

Premiers essais d'écriture, marqués par le symbolisme finissant (Dehmel, Spitteler, Przybyszewski, Gourmont).

1910 En Belgique. Figurant au théâtre de la Monnaie à Bruxelles.

Au cours d'une tournée à Londres, dit avoir rencontré Charlie Chaplin. Séjour à Paris.

1911 Retour à Saint-Pétersbourg, dans la famille d'Hélène. Été à Streilna où il commence *Aléa, roman d'apprentissage.*

21 novembre, s'embarque à Libau pour rejoindre Féla à New York. Tient un Journal à bord : *Mon voyage en Amérique*. Arrivée le 12 décembre.

1912 Avril : New York. Au cours de la nuit de Pâques, écrit *Les Pâques*, son « premier poème » qu'il signe d'un pseudonyme, Blaise Cendrart, puis Cendrars.

Juin : retour en Europe. S'installe à Paris, 4, rue de Savoie, VIe, où il fonde les Éditions des Hommes Nouveaux pour publier son poème.

Fréquente les milieux d'avant-garde : Apollinaire (et *Les Soirées de Paris*) et les peintres (Chagall, Léger, les Delaunay...). Sympathies anarchistes.

1913 Novembre : publie la *Prose du Transsibérien et de la petite Jehanne de France*, poème-tableau sous forme de dépliant, avec des compositions simultanées de Sonia Delaunay. Jusqu'à la guerre, polémique sur l'emploi du mot « simultanéisme ».

Ses *Poèmes élastiques* paraissent en revues. Écrit *Le Panama ou les Aventures de mes sept oncles.*

Apparition de la figure de Moravagine.

1914 29 juillet : signe avec l'écrivain italien Ricciotto Canudo un « Appel » aux étrangers résidant en France et s'engage comme volontaire dans l'armée française. Une année au front (Somme, Champagne...), sur laquelle il reviendra souvent (*J'ai tué, La Main coupée...*). Cesse d'écrire.

16 septembre : permission à Paris, où il épouse Féla dont il aura trois enfants, Odilon, Rémy et Miriam.

1915 27 septembre : mort de Remy de Gourmont, son « maître » en écriture.

28 septembre : grièvement blessé devant la ferme Navarin, au cours de la grande offensive de Champagne. Amputation du bras droit (son bras d'écrivain) au-dessus du coude.

1916 « Année terrible ». Période de désarroi. N'écrit plus.

16 février : naturalisé français.

Rencontre Eugenia Errazuriz, grande dame chilienne qui deviendra son amie et mécène, et le recevra fréquemment dans la société mondaine de Biarritz jusqu'à la drôle de guerre.

Décembre : *La Guerre au Luxembourg*, poème avec six dessins de Kisling (Dan. Niestlé).

1917 Hiver à Cannes et Nice, sous la hantise croissante de Moravagine.

Printemps : retour à Paris. Retrouve Apollinaire au café de Flore. Amitié avec Philippe Soupault.

Fin juin : été à Courcelles et à La Pierre, par Méréville, près d'Étampes (Seine-et-Oise). Tournant décisif pour Cendrars, qui explore son identité nouvelle de gaucher : *Profond aujourd'hui* (À la Belle Édition, 1917), *L'Eubage*, une commande du couturier Jacques Doucet, et *Les Armoires chinoises* (gardé secret) témoignent de ce renouveau créateur. Entreprend un « grand roman martien »,

La Fin du monde, d'où sortira *Moravagine*. Songe à *Dan Yack*.
Le 1er septembre, la nuit de ses trente ans, écrit *La Fin du monde filmée par l'Ange N.-D.* Orion, « son étoile », oriente désormais un mythe personnel de renaissance.
26 octobre : rencontre à Paris Raymone Duchâteau, jeune comédienne à qui un amour idéalisé le liera jusqu'à sa mort. Décide de vivre seul.
Fin novembre : conseiller littéraire aux Éditions de la Sirène auprès de Paul Laffitte. S'y lie avec Jean Cocteau. Rencontre Céline.

1918 Juin : *Le Panama ou les Aventures de mes sept oncles* à la Sirène (couverture de Dufy).
Automne : figurant dans *J'accuse* d'Abel Gance.
Novembre : *J'ai tué*, avec cinq dessins de Léger (À la Belle Édition).
9 novembre : mort d'Apollinaire.
Délaisse l'écriture pour l'édition à la Sirène et le cinéma.

1919 Juillet : recueille ses trois grands poèmes dans *Du monde entier* (NRF).
Août : *Dix-neuf poèmes élastiques* (Au Sans Pareil).
Octobre : *La Fin du monde filmée par l'Ange N.-D.*, avec des compositions de Léger (la Sirène).
Dans *La Rose Rouge*, « Modernités », série d'articles sur les peintres.

1920 Réédite *Les Chants de Maldoror* de Lautréamont à la Sirène.
Assistant d'Abel Gance pour le tournage de *La Roue*.

1921 Juin : *Anthologie nègre* (la Sirène).
Engagement dans les studios de Rome grâce à Cocteau : le tournage de *La Vénus noire*, film perdu, s'achève par un fiasco. « La Perle fiévreuse », son scénario, est publié dans *Signaux de France et de Belgique*.

1922 De février à décembre, *Moganni Nameh* (version remaniée d'*Aléa*) paraît dans *Les Feuilles libres*.

1923 25 octobre : au Théâtre des Champs-Élysées, les Ballets suédois de Rolf de Maré créent *La Création du monde*, livret de Cendrars, musique de Darius Milhaud, décors et costumes de Léger. Amitié avec Nils et Thora Dardel.

1924 12 février : s'embarque pour le Brésil sur le *Formose*, à l'invitation de Paulo Prado, homme d'affaires et écrivain. Découverte de son « Utopialand ». Amitiés avec les modernistes de São Paulo : Tarsila, Oswald de Andrade, Mario de Andrade. Visite à la fazenda du Morro Azul dont il date son « apprentissage de romancier ».
19 août : retour en France sur le *Gelria*.
Publie dans *Kodak/Documentaires* des poèmes « découpés » en secret dans *Le Mystérieux docteur Cornélius*, roman-feuilleton de Gustave Lerouge.
Septembre : Feuilles de route, son dernier recueil de poèmes (Au Sans Pareil).
À la fin de l'année, écrit en quelques semaines *L'Or/La merveilleuse histoire du général Johann August Suter*, un projet ancien brusquement resurgi.

1925 Mars : *L'Or* (Grasset) offre au poète d'avant-garde un succès de grand public et fait de lui dans les années 20 un romancier de l'aventure, tenté de faire fortune au cinéma.
10 juin : conférence à Madrid sur la littérature nègre.

1926 7 janvier : deuxième voyage au Brésil à bord du *Flandria*. Rencontre Marinetti à São Paulo.
Février : publie *Moravagine* (Grasset), dont le projet date de l'avant-guerre. Travaille à un roman sur John Paul Jones, héros de l'Indépendance américaine.
6 juin : retour en France sur l'*Arlanza*.
En septembre, *Éloge de la vie dangereuse* et, en octobre, *L'ABC du cinéma*, tous deux aux Écrivains réunis.
Décembre : *L'Eubage/Aux antipodes de l'unité* paraît Au Sans Pareil après dix ans de tribulations éditoriales.

1927 Février : mort de son père près de Neuchâtel.
Printemps : séjour à La Redonne, près de Marseille, où il travaille au *Plan de l'Aiguille*.
12 août : troisième et dernier départ pour le Brésil à bord du *Lipari*.

1928 28 janvier : retour en France sur le *Lutetia*.
Entreprend *La Vie et la mort du Soldat inconnu*, roman inachevé.

Juillet : *Petits Contes nègres pour les enfants des Blancs* aux Éditions du Portique.

1929 Février : *Le Plan de l'Aiguille*, suivi en septembre des *Confessions de Dan Yack*, Au Sans Pareil.
Une nuit dans la forêt, « premier fragment d'une autobiographie » (Éditions du Verseau).

1930 *Comment les Blancs sont d'anciens Noirs* (Au Sans Pareil), contes nègres.
Rencontre John Dos Passos à Monpazier (Dordogne), le village de Jean Galmot.
Décembre : *Rhum/L'aventure de Jean Galmot*, reportage publié dans *Vu*, est recueilli chez Grasset. Cette vie d'un affairiste tenté par la politique amorce un mouvement vers le journalisme.

1931 Avril : *Aujourd'hui* (Grasset), recueil de proses poétiques et d'essais.
Travaille au *Soldat inconnu*.

1932 *Vol à voiles, prochronie* (Payot).
Pendant deux ans, Cendrars, malade, travaille peu.
Tente en vain de relancer *John Paul Jones*.

1934 « Les Gangsters de la maffia », reportages pour *Excelsior* recueillis dans *Panorama de la pègre*.
13 décembre : à Paris, 18 villa Seurat, rencontre Henry Miller qui vient de lui adresser *Tropic of Cancer*.

1935 23 mai-3 juin : participe pour *Paris-Soir* au voyage inaugural du *Normandie*, entre Le Havre et New York.
Été : lance Henry Miller en France par un article dans *Orbes*.
Panorama de la pègre (Arthaud).
Vers cette époque commence « Le Sans-nom », récit qui amorce les Mémoires.

1936 Janvier : départ pour Hollywood où il rencontre James Cruze qui adapte *L'Or* au cinéma. Reportages pour *Paris-Soir* recueillis dans *Hollywood/La Mecque du cinéma* (Grasset).
Sortie simultanée à Paris de *Sutter's Gold* de Cruze et de *Kaiser von Kalifornien* de l'Allemand Luis Trenker, auquel Cendrars intente un procès en plagiat interrompu par la guerre.

Période «parisienne» où ses amitiés et des sympathies franquistes le font pencher à droite.

1937 Voyages en Espagne et au Portugal. Traduit *Forêt vierge* de Ferreira de Castro.
Rupture douloureuse avec Raymone.
Décembre : *Histoires vraies* (Grasset).

1938 Juillet : *La Vie dangereuse* (Grasset), deuxième recueil d'«histoires vraies».
Rencontre Élisabeth Prévost (qu'il surnomme «Bee and Bee»), chez qui il séjournera souvent jusqu'à la guerre, aux Aiguillettes, dans les Ardennes.

1939 Juillet : publie ses souvenirs sur la Sirène dans *Les Nouvelles littéraires*.
Songe à un livre sur Villon.
Un projet de voyage en voilier autour du monde avec Élisabeth Prévost est interrompu par la guerre.
S'engage comme correspondant de guerre «chez l'armée anglaise».

1940 Mars : *D'Oultremer à Indigo*, troisième recueil d'«histoires vraies» (Grasset).
Chez l'armée anglaise, reportages de guerre (Corrêa), est détruit par les Allemands.
La débâcle de mai 1940 l'accable.
14 juillet : quitte Paris et le journalisme pour Aix-en-Provence, 12, rue Clemenceau, jusqu'en 1948.
Réconciliation avec Raymone qui travaille à Paris dans la troupe de Louis Jouvet.

1943 21 août : après trois années de silence, retour à l'écriture après une rencontre avec Édouard Peisson. S'ensuivent quatre volumes de «Mémoires qui sont des Mémoires sans être des Mémoires», et renouent avec l'expérience de l'été 1917 en refoulant *La Carissima*, projet d'une vie de Marie-Madeleine.
13 octobre : mort de Féla.

1944 Mai : parution de ses *Poésies complètes* (Denoël) par les soins de Jacques-Henry Lévesque.

1945 Août : *L'Homme foudroyé* (Denoël).
26 novembre : mort de son fils Rémy dans un accident d'avion au Maroc.

1946 Novembre : *La Main coupée* (Denoël).
Commence une vie de saint Joseph de Copertino.

1948 Janvier : installation à Villefranche-sur-Mer, où il travaille au *Lotissement du ciel.*
Mai : *Bourlinguer* (Denoël).

1949 Juillet : *Le Lotissement du ciel* (Denoël), dernier volume des Mémoires et testament poétique.
27 octobre : mariage avec Raymone à Sigriswil, village originaire des Sauser dans l'Oberland bernois.
La Banlieue de Paris, avec 130 photographies de Robert Doisneau (Seghers et La Guilde du Livre).

1950 Retour à Paris.
14-25 avril : enregistrement de treize entretiens avec Michel Manoll à la R.T.F., diffusés du 15 octobre au 15 décembre et largement remaniés dans *Blaise Cendrars vous parle...* (Denoël, 1952).
Installation 23, rue Jean-Dolent, XIVe, en face de la prison de la Santé.
Entreprend *Emmène-moi au bout du monde !...*, dont la longue rédaction l'épuisera.

1951 15 août : «*Moravagine* : Histoire d'un livre», *La Gazette des Lettres.*

1952 Mars : dans *La Table Ronde* publie «Sous le signe de François Villon», préface à un recueil de «prochronies» en chantier depuis 1939, mais qui ne paraîtra pas.
Juin : *Le Brésil,* avec 105 photographies de Jean Manzon (Monaco, Les Documents d'Art).
Octobre : «Partir» (version remaniée du «Sans-nom») dans *La Revue de Paris.*

1953 Avril : *Noëls aux quatre coins du monde* (Cayla). *La Rumeur du monde,* recueil resté inédit.

1954 27 octobre : *Serajevo,* pièce radiophonique écrite avec Nino Frank et recueillie dans *Films sans images.*

1955 Préface aux *Instantanés de Paris* de Robert Doisneau, Arthaud.
17 août : mort de Fernand Léger.

1956 Janvier : *Emmène-moi au bout du monde !...* chez Denoël.
Mars : *Entretien de Fernand Léger avec Blaise Cendrars et*

Louis Carré sur le paysage dans l'œuvre de Léger, Galerie Louis Carré.
Avril : édition augmentée de *Moravagine* (Grasset).
Été : première attaque d'hémiplégie.

1957 Avril : *Trop c'est trop* (Denoël), recueil « presse-papiers » de nouvelles et d'articles.

1958 *À l'aventure* (Denoël), « Pages choisies ».
Été : seconde attaque d'hémiplégie. Cendrars n'écrira plus.

1959 Mars : *Films sans images* (Denoël), recueil de trois pièces radiophoniques en collaboration avec Nino Frank.

1960-1965 *Œuvres complètes* en huit volumes chez Denoël.

1961 21 janvier : mort de Cendrars à Paris. Il est enterré au cimetière des Batignolles.

1968-1971 *Œuvres complètes* au Club français du livre, en quinze volumes précédés d'un volume d'*Inédits secrets.*

1979 Mort d'Odilon Sauser, fils aîné de Cendrars.

1986 16 mars : mort de Raymone.

1994 Transfert des cendres de Cendrars au cimetière du Tremblay-sur-Mauldre (Yvelines), près de sa « maison des champs ».

1995 Découverte à Sofia (Bulgarie) d'un exemplaire de *La Légende de Novgorod.* Translation en français chez Fata Morgana (1996, révisée en 1997).

BIBLIOGRAPHIE

Pour une bibliographie plus complète :
Blaise Cendrars, *Le Lotissement du ciel*, Folio n° 2795, 1996, pp. 527-532.

D'OULTREMER À INDIGO

1940 : édition originale chez Grasset. Achevé d'imprimer le 21 mars, 271 p.
Le volume a été recueilli dans les deux éditions d'*Œuvres complètes* :
1965 : Denoël, tome VIII, pp. 7-133.
1970 : Club français du livre, tome VIII, pp. 215-361.
Aucune réédition séparée depuis l'édition originale.

CORRESPONDANCE

De précieuses informations sur le contexte et la genèse de *D'Oultremer à Indigo* sont fournies par :

« J'écris. Écrivez-moi. » Blaise Cendrars-Jacques-Henry Lévesque, *Correspondance 1924-1959* (éd. Monique Chefdor), Denoël, 1991.
Madame mon copain/Élisabeth Prévost et Blaise Cendrars : une amitié rarissime, avec 31 des lettres retrouvées de Blaise Cendrars (éd. M. Chefdor), Nantes, Joca Seria, 1997.

PRINCIPAUX TEXTES « BRESILIENS » DE CENDRARS

À partir de 1924, le Brésil ne cessera d'occuper une place clef dans toute l'œuvre de Cendrars, comme en témoignent :

Feuilles de route (1924), poèmes.
Sud-Américaines (1926), poèmes.
Aujourd'hui (1931), essais.
Histoires vraies (1937), nouvelles.
La Vie dangereuse (1938), nouvelles.
Traduction de : Ferreira de Castro, *Forêt vierge* (1938), roman.
L'Homme foudroyé (1945), Mémoires.
Bourlinguer (1948), Mémoires.
Le Lotissement du ciel (1949), Mémoires.
Brésil, des hommes sont venus (1952), essai.
Blaise Cendrars vous parle... Entretiens avec Michel Manoll (1952).
Trop c'est trop (1955), mélanges.

Une anthologie de ces textes a été recueillie au Brésil sous un titre en clin d'œil : Blaise Cendrars, *Etc..., Etc... (Um livro 100 % brasileiro),* textes réunis, traduits et présentés par Teresa Thiérot, Carlos Augusto Calil et Alexandre Eulalio, São Paulo, 1976.

CENDRARS ET LE BRÉSIL

Domaine brésilien

Deux ouvrages font date :

Aracy Amaral, *Blaise Cendrars no Brasil e os modernistas,* São Paulo, 1970 ; nouvelle édition, FAPESP editora, 1997.
Alexandre Eulalio, *A aventura brasileira de Blaise Cendrars,* São Paulo/Brasilia, 1978 ; nouvelle édition à paraître par les soins de C.A. Calil.

Domaine français

La biographie de référence est le *Blaise Cendrars* de Miriam Cendrars chez Balland, 1994.

Le thème brésilien est au cœur des ouvrages suivants :

Adrien Roig, *Blaise Cendrars et le Brésil*, Paris, Fondation Calouste Gulbenkian, 1988.

Claude Leroy (dir.), *Cendrars et «Le Lotissement du ciel»*, Armand Colin, 1995.

Claude Leroy et Jean-Carlo Flückiger (dir.), *Cendrars, le bourlingueur des deux rives*, Armand Colin, 1995.

Regards sur Blaise Cendrars et le Brésil, *Continent Cendrars* n° 10, Champion, 1996.

Maria Teresa de Freitas et Claude Leroy (dir.), *Brésil, l'*Utopialand *de Blaise Cendrars* (actes du colloque de São Paulo, août 1997), L' Harmattan, 1998.

DU MÊME AUTEUR

Aux Éditions Denoël

« TOUT AUTOUR D'AUJOURD'HUI »,
Œuvres complètes sous la direction de Claude Leroy

I. POÉSIES COMPLÈTES, avec 41 poèmes inédits, éd. de Claude Leroy

II. L'OR – RHUM – L'ARGENT, éd. de Claude Leroy

III. HOLLYWOOD, LA MECQUE DU CINÉMA – L'ABC DU CINÉMA – UNE NUIT DANS LA FORÊT, éd. de Francis Vanoye

IV. DAN YACK, éd. de Claude Leroy

V. L'HOMME FOUDROYÉ – LE SANS-NOM, éd. de Claude Leroy

VI. LA MAIN COUPÉE – LA MAIN COUPÉE (1918) – LA FEMME ET LE SOLDAT, éd. de Michèle Touret

VII. MORAVAGINE – LA FIN DU MONDE FILMÉE PAR L'ANGE N.-D. – L'EUBAGE, éd. de Jean-Carlo Flückiger

VIII. HISTOIRES VRAIES – LA VIE DANGEREUSE – D'OULTREMER À INDIGO, éd. de Claude Leroy

IX. BOURLINGUER – VOL À VOILE, éd. de Claude Leroy

X. ANTHOLOGIE NÈGRE – PETITS CONTES NÈGRES POUR LES ENFANTS DES BLANCS – COMMENT LES BLANCS SONT D'ANCIENS NOIRS – LA CRÉATION DU MONDE, éd. de Christine Le Quellec Cottier

XI. AUJOURD'HUI – JÉROBOAM ET LA SIRÈNE – SOUS LE SIGNE DE FRANÇOIS VILLON – LE BRÉSIL – TROP C'EST TROP, éd. de Claude Leroy

XII. LE LOTISSEMENT DU CIEL – LA BANLIEUE DE PARIS, éd. de Claude Leroy

XIII. PANORAMA DE LA PÈGRE – À BORD DE NORMANDIE – CHEZ L'ARMÉE ANGLAISE – ARTICLES ET REPORTAGES, éd. de Myriam Boucharenc

XIV. EMMÈNE-MOI AU BOUT DU MONDE !... – FILMS SANS IMAGES – DANSE MACABRE DE L'AMOUR, éd. de Claude Leroy

XV. BLAISE CENDRARS VOUS PARLE... – QUI ÊTES-VOUS ? – LE PAYSAGE DANS L'ŒUVRE DE LÉGER – J'AI VU MOURIR FERNAND LÉGER, éd. de Claude Leroy

LA BANLIEUE DE PARIS, photographies de Robert Doisneau

Blaise Cendrars-Jacques-Henry Lévesque, « J'ÉCRIS. ÉCRIVEZ-MOI. » CORRESPONDANCE 1924-1959, éd. de Monique Chefdor

Blaise Cendrars-Henry Miller, CORRESPONDANCE 1934-1979 : QUARANTE-CINQ ANS D'AMITIÉ, éd. de Miriam Cendrars, Frédéric Jacques Temple et Jay Bochner

Aux Éditions Gallimard

DU MONDE ENTIER AU CŒUR DU MONDE, poésies complètes, préface de Paul Morand, éd. de Claude Leroy, *Poésie/Gallimard* n° 421

BOURLINGUER, *Folio* n° 602

LE BRÉSIL. DES HOMMES SONT VENUS, photographies de Jean Manzon, *Folio* n° 5073

D'OULTREMER À INDIGO, éd. de Claude Leroy, *Folio* n° 2970

EMMÈNE-MOI AU BOUT DU MONDE !..., *Folio* n° 15

L'HOMME FOUDROYÉ, *Folio* n° 467

LE LOTISSEMENT DU CIEL, éd. de Claude Leroy, *Folio* nº 2795

LA MAIN COUPÉE, *Folio* nº 619

L'OR, *Folio* nº 331, *Folioplus* nº 30, *Bibliothèque Gallimard* nº 135

PETITS CONTES NÈGRES POUR LES ENFANTS DES BLANCS, ill. de Jacqueline Duhême, *Folio junior* nº 55, *Bibliothèque Folio junior* nº 20, *Folio cadet* nº 224

Miriam Cendrars, BLAISE CENDRARS. L'OR D'UN POÈTE, *Découvertes* nº 279

Marie-Paule Berranger commente DU MONDE ENTIER AU CŒUR DU MONDE de Blaise Cendrars, *Foliothèque* nº 150

Aux Éditions Fata Morgana

LES ARMOIRES CHINOISES, postface de Claude Leroy

BRÉSIL, DES HOMMES SONT VENUS

JOHN PAUL JONES OU L'AMBITION, préface de Claude Leroy

MON VOYAGE EN AMÉRIQUE, postface de Christine Le Quellec Cottier

NOUVEAUX CONTES NÈGRES, postface de Christine Le Quellec Cottier

Aux Éditions Grasset

HOLLYWOOD, LA MECQUE DU CINÉMA, *Les cahiers rouges*

MORAVAGINE, *Les cahiers rouges*

RHUM, préface de Miriam Cendrars, *Les cahiers rouges*

LA VIE DANGEREUSE, préface de Miriam Cendrars, *Les cahiers rouges*

Aux Éditions du Livre de Poche

ANTHOLOGIE NÈGRE n° 3363

RHUM n° 3022

Aux Éditions Honoré Champion

L'EUBAGE. AUX ANTIPODES DE L'UNITÉ, éd. de Jean-Carlo Flückiger, Cahiers Blaise Cendrars n° 2

LA VIE ET LA MORT DU SOLDAT INCONNU, éd. de Judith Trachsel, préface de Claude Leroy, Cahiers Blaise Cendrars n° 4

LA CARISSIMA, éd. d'Anna Maibach, Cahiers Blaise Cendrars n° 5

Aux Éditions Buchet-Chastel

ANTHOLOGIE NÈGRE

DOISNEAU RENCONTRE CENDRARS

Aux Éditions du Sorbier

POURQUOI PERSONNE NE PORTE PLUS LE CAÏMAN POUR LE METTRE À L'EAU, ill. de Merlin, *Au berceau du monde*

LE MAUVAIS JUGE, ill. de Merlin, *Au berceau du monde*

Chez d'autres éditeurs

MADAME MON COPAIN / ÉLISABETH PRÉVOST ET BLAISE CENDRARS : UNE AMITIÉ RARISSIME, avec 31 lettres de Blaise Cendrars, éd. de Monique Chefdor, Éd. Joca Seria

Blaise Cendrars, EN BOURLINGUANT... Entretiens avec Michel Manoll (1950). INA/Radio-France, *Les grandes heures*

RENCONTRES AVEC BLAISE CENDRARS. Entretiens et interviews 1925-1959, éd. de Claude Leroy, Paris, Éd. Non-lieu

J'AI SAIGNÉ, postface de Christine Le Quellec Cottier, Genève, Éd. Zoé

J'AI SAIGNÉ, éd. de Sylvie Loignon, Éd. Hatier/Poche

PETITS CONTES NÈGRES POUR LES ENFANTS DES BLANCS, ill. de Francis Bernard, Éd. Art Spirit

COLLECTION FOLIO

Dernières parutions

4834. Patrick Modiano	*Dans le café de la jeunesse perdue.*
4835. Marisha Pessl	*La physique des catastrophes.*
4837. Joy Sorman	*Du bruit.*
4838. Brina Svit	*Coco Dias ou La Porte Dorée.*
4839. Julian Barnes	*À jamais* et autres nouvelles.
4840. John Cheever	*Une Américaine instruite* suivi d'*Adieu, mon frère.*
4841. Collectif	*«Que je vous aime, que je t'aime !»*
4842. André Gide	*Souvenirs de la cour d'assises.*
4843. Jean Giono	*Notes sur l'affaire Dominici.*
4844. Jean de La Fontaine	*Comment l'esprit vient aux filles.*
4845. Yukio Mishima	*Papillon* suivi de *La lionne.*
4846. John Steinbeck	*Le meurtre* et autres nouvelles.
4847. Anton Tchékhov	*Un royaume de femmes* suivi de *De l'amour.*
4848. Voltaire	*L'Affaire du chevalier de La Barre* précédé de *L'Affaire Lally.*
4849. Victor Hugo	*Notre-Dame de Paris.*
4850. Françoise Chandernagor	*La première épouse.*
4851. Collectif	*L'œil de La NRF.*
4852. Marie Darrieussecq	*Tom est mort.*
4853. Vincent Delecroix	*La chaussure sur le toit.*
4854. Ananda Devi	*Indian Tango.*
4855. Hans Fallada	*Quoi de neuf, petit homme ?*
4856. Éric Fottorino	*Un territoire fragile.*
4857. Yannick Haenel	*Cercle.*
4858. Pierre Péju	*Cœur de pierre.*
4859. Knud Romer	*Cochon d'Allemand.*
4860. Philip Roth	*Un homme.*
4861. François Taillandier	*Il n'y a personne dans les tombes.*
4862. Kazuo Ishiguro	*Un artiste du monde flottant.*

4863. Christian Bobin	*La dame blanche.*
4864. Sous la direction d'Alain Finkielkraut	*La querelle de l'école.*
4865. Chahdortt Djavann	*Autoportrait de l'autre.*
4866. Laura Esquivel	*Chocolat amer.*
4867. Gilles Leroy	*Alabama Song.*
4868. Gilles Leroy	*Les jardins publics.*
4869. Michèle Lesbre	*Le canapé rouge.*
4870. Carole Martinez	*Le cœur cousu.*
4871. Sergio Pitol	*La vie conjugale.*
4872. Juan Rulfo	*Pedro Páramo.*
4873. Zadie Smith	*De la beauté.*
4874. Philippe Sollers	*Un vrai roman. Mémoires.*
4875. Marie d'Agoult	*Premières années.*
4876. Madame de Lafayette	*Histoire de la princesse de Montpensier* et autres nouvelles.
4877. Madame Riccoboni	*Histoire de M. le marquis de Cressy.*
4878. Madame de Sévigné	*« Je vous écris tous les jours… »*
4879. Madame de Staël	*Trois nouvelles.*
4880. Sophie Chauveau	*L'obsession Vinci.*
4881. Harriet Scott Chessman	*Lydia Cassatt lisant le journal du matin.*
4882. Raphaël Confiant	*Case à Chine.*
4883. Benedetta Craveri	*Reines et favorites.*
4884. Erri De Luca	*Au nom de la mère.*
4885. Pierre Dubois	*Les contes de crimes.*
4886. Paula Fox	*Côte ouest.*
4887. Amir Gutfreund	*Les gens indispensables ne meurent jamais.*
4888. Pierre Guyotat	*Formation.*
4889. Marie-Dominique Lelièvre	*Sagan à toute allure.*
4890. Olivia Rosenthal	*On n'est pas là pour disparaître.*
4891. Laurence Schifano	*Visconti.*
4892. Daniel Pennac	*Chagrin d'école.*
4893. Michel de Montaigne	*Essais I.*
4894. Michel de Montaigne	*Essais II.*
4895. Michel de Montaigne	*Essais III.*

4896. Paul Morand — *L'allure de Chanel.*
4897. Pierre Assouline — *Le portrait.*
4898. Nicolas Bouvier — *Le vide et le plein.*
4899. Patrick Chamoiseau — *Un dimanche au cachot.*
4900. David Fauquemberg — *Nullarbor.*
4901. Olivier Germain-Thomas — *Le Bénarès-Kyôto.*
4902. Dominique Mainard — *Je voudrais tant que tu te souviennes.*
4903. Dan O'Brien — *Les bisons de Broken Heart.*
4904. Grégoire Polet — *Leurs vies éclatantes.*
4905. Jean-Christophe Rufin — *Un léopard sur le garrot.*
4906. Gilbert Sinoué — *La Dame à la lampe.*
4907. Nathacha Appanah — *La noce d'Anna.*
4908. Joyce Carol Oates — *Sexy.*
4909. Nicolas Fargues — *Beau rôle.*
4910. Jane Austen — *Le Cœur et la Raison.*
4911. Karen Blixen — *Saison à Copenhague.*
4912. Julio Cortázar — *La porte condamnée* et autres nouvelles fantastiques.
4913. Mircea Eliade — *Incognito à Buchenwald...* précédé d'*Adieu !...*
4914. Romain Gary — *Les trésors de la mer Rouge.*
4915. Aldous Huxley — *Le jeune Archimède* précédé de *Les Claxton.*
4916. Régis Jauffret — *Ce que c'est que l'amour* et autres microfictions.
4917. Joseph Kessel — *Une balle perdue.*
4918. Lie-tseu — *Sur le destin* et autres textes.
4919. Junichirô Tanizaki — *Le pont flottant des songes.*
4920. Oscar Wilde — *Le portrait de Mr. W.H.*
4921. Vassilis Alexakis — *Ap. J.-C.*
4922. Alessandro Baricco — *Cette histoire-là.*
4923. Tahar Ben Jelloun — *Sur ma mère.*
4924. Antoni Casas Ros — *Le théorème d'Almodóvar.*
4925. Guy Goffette — *L'autre Verlaine.*
4926. Céline Minard — *Le dernier monde.*
4927. Kate O'Riordan — *Le garçon dans la lune.*
4928. Yves Pagès — *Le soi-disant.*
4929. Judith Perrignon — *C'était mon frère...*
4930. Danièle Sallenave — *Castor de guerre*
4931. Kazuo Ishiguro — *La lumière pâle sur les collines.*
4932. Lian Hearn — *Le Fil du destin. Le Clan des Otori.*

4933. Martin Amis	*London Fields.*
4934. Jules Verne	*Le Tour du monde en quatre-vingts jours.*
4935. Harry Crews	*Des mules et des hommes.*
4936. René Belletto	*Créature.*
4937. Benoît Duteurtre	*Les malentendus.*
4938. Patrick Lapeyre	*Ludo et compagnie.*
4939. Muriel Barbery	*L'élégance du hérisson.*
4940. Melvin Burgess	*Junk.*
4941. Vincent Delecroix	*Ce qui est perdu.*
4942. Philippe Delerm	*Maintenant, foutez-moi la paix!*
4943. Alain-Fournier	*Le grand Meaulnes.*
4944. Jerôme Garcin	*Son excellence, monsieur mon ami.*
4945. Marie-Hélène Lafon	*Les derniers Indiens.*
4946. Claire Messud	*Les enfants de l'empereur*
4947. Amos Oz	*Vie et mort en quatre rimes*
4948. Daniel Rondeau	*Carthage*
4949. Salman Rushdie	*Le dernier soupir du Maure*
4950. Boualem Sansal	*Le village de l'Allemand*
4951. Lee Seung-U	*La vie rêvée des plantes*
4952. Alexandre Dumas	*La Reine Margot*
4953. Eva Almassy	*Petit éloge des petites filles*
4954. Franz Bartelt	*Petit éloge de la vie de tous les jours*
4955. Roger Caillois	*Noé* et autres textes
4956. Casanova	*Madame F.* suivi d'*Henriette*
4957. Henry James	*De Grey, histoire romantique*
4958. Patrick Kéchichian	*Petit éloge du catholicisme*
4959. Michel Lermontov	*La Princesse Ligovskoï*
4960. Pierre Péju	*L'idiot de Shangai* et autres nouvelles
4961. Brina Svit	*Petit éloge de la rupture*
4962. John Updike	*Publicité*
4963. Noëlle Revaz	*Rapport aux bêtes*
4964. Dominique Barbéris	*Quelque chose à cacher*
4965. Tonino Benacquista	*Malavita encore*
4966. John Cheever	*Falconer*
4967. Gérard de Cortanze	*Cyclone*
4968. Régis Debray	*Un candide en Terre sainte*
4969. Penelope Fitzgerald	*Début de printemps*

4970. René Frégni	*Tu tomberas avec la nuit*
4971. Régis Jauffret	*Stricte intimité*
4972. Alona Kimhi	*Moi, Anastasia*
4973. Richard Millet	*L'Orient désert*
4974. José Luís Peixoto	*Le cimetière de pianos*
4975. Michel Quint	*Une ombre, sans doute*
4976. Fédor Dostoïevski	*Le Songe d'un homme ridicule* et autres récits
4977. Roberto Saviano	*Gomorra*
4978. Chuck Palahniuk	*Le Festival de la couille*
4979. Martin Amis	*La Maison des Rencontres*
4980. Antoine Bello	*Les funambules*
4981. Maryse Condé	*Les belles ténébreuses*
4982. Didier Daeninckx	*Camarades de classe*
4983. Patrick Declerck	*Socrate dans la nuit*
4984. André Gide	*Retour de l'U.R.S.S.*
4985. Franz-Olivier Giesbert	*Le huitième prophète*
4986. Kazuo Ishiguro	*Quand nous étions orphelins*
4987. Pierre Magnan	*Chronique d'un château hanté*
4988. Arto Paasilinna	*Le cantique de l'apocalypse joyeuse*
4989. H.M. van den Brink	*Sur l'eau*
4990. George Eliot	*Daniel Deronda, 1*
4991. George Eliot	*Daniel Deronda, 2*
4992. Jean Giono	*J'ai ce que j'ai donné*
4993. Édouard Levé	*Suicide*
4994. Pascale Roze	*Itsik*
4995. Philippe Sollers	*Guerres secrètes*
4996. Vladimir Nabokov	*L'exploit*
4997. Salim Bachi	*Le silence de Mahomet*
4998. Albert Camus	*La mort heureuse*
4999. John Cheever	*Déjeuner de famille*
5000. Annie Ernaux	*Les années*
5001. David Foenkinos	*Nos séparations*
5002. Tristan Garcia	*La meilleure part des hommes*
5003. Valentine Goby	*Qui touche à mon corps je le tue*
5004. Rawi Hage	*De Niro's Game*
5005. Pierre Jourde	*Le Tibet sans peine*
5006. Javier Marías	*Demain dans la bataille pense à moi*
5007. Ian McEwan	*Sur la plage de Chesil*
5008. Gisèle Pineau	*Morne Câpresse*

Impression Maury-Imprimeur
45330 Malesherbes
le 3 juin 2010.
Dépôt légal : juin 2010.
1er dépôt légal dans la même collection : juillet 1973.
Numéro d'imprimeur : 156237.
ISBN 978-2-07-036331-5. / Imprmé en France.

177095